はじまりの木

現代のカリフォルニア・インディアンの話

GENESIS PLACE

a modern California Native story

リーバイ・パタ

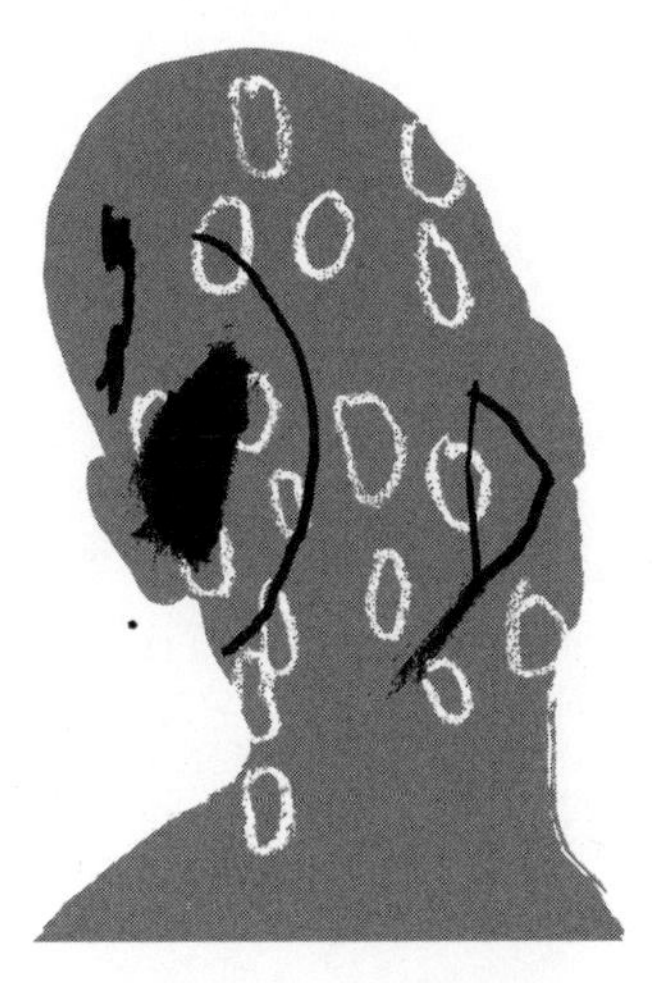

LEVI PATA

目次

装幀　樋口裕馬
写真　黄瀬麻以

はじまりの木

Nomlāqa
ノムラカ族
California
現在のカリフォルニア州
San Francisco
現在の
サンフランシスコ
Los Angeles
現在の ロサンゼルス

"Nommaq Nomlāqa Wintūn bōda."
「私たちは　ノムマック　ノムラカ　ウィントゥンです。」

「ウィントゥン」は西部訛りのノムラカ語でインディアン（人間）という意味です。私たちの部族ノムラカは、トムス峡谷の流域とトムス川の上流域にある、現在のテヘマ郡の一部であるパスケンタ（ノムラカ語では「パァスケンティ」と呼ぶ）という町が位置する場所の出身です。領域の中心に位置するのは、サールトゥ（ノムラカ語で「神様」の意）が、エルダーベリーの木に生る実の数のように世界にノムラカ・ウィントゥンが栄えていくようにと願って、最初のウィントゥンに息を吹き込んだ場所、ワイクックチ（ノムラカ族の神話でインディアンが生まれたとされる、隆起した場所）とソン・ティローカ（ノムラカ語で「輝く石」の意。ワイクックチの一部である巨石）です。私たちウィントゥンの骨はこのエルダーベリーの木の枝からできていて、肉と皮膚は、神様が近くの山から集めて唾を混ぜて、手のひらで温めた赤い土でできています。私たちがその地につくられてから、その場所から離れることなく暮らしてきました。私たちは、火と水、バスケットとドングリの人々で、この場所の物質的な要素と精神的な要素のバランスを保つためにつくられました。

◉ノムラカ族の主な歴史的出来事の時系列とまとめ

コーディ・パタ、リーバイ・パタ編纂

「世界の破滅」の後：ワイクックチにてウィントゥンがつくられる。

1770年代：外国からマラリアと天然痘の疫病がノムラカ族の領地に持ち込まれる。カライェル（現在のカリフォルニア州、ニューヴィル）の遺跡からはこの時代の伝染病の凄まじさが伺える大規模な集団土葬で埋められた人骨が発掘された。次々と大量に運び込まれる死体のために土葬地の区画が広げられ、その後新たな土葬地もつくり足されていった。疫病は、キリスト教の布教でやってきたスペイン人が持ち込んだとされ、布教はソノマ郡より北へは広がらなかったものの、外来の伝染病が蔓延した場所から各地域へ急速に広がったと考えられている。

1808年：スペイン人陸軍士官、アルフレズ・ガブリエル・モラガが「川のウィントゥン」（住んでいる地域の地形や特徴によって「谷のウィントゥン」や「川のウィントゥン」と呼ばれる）の領地に達する。

1813年：スペイン人開拓者、ルイス・アルゲロと神父オルダズが現在のグレン郡とテヘマ郡を渡る。

1821年：カリフォルニアの大部分が当時のスペイン植民地下にあったメキシコの領土となる。

1832〜33年：マラリアと天然痘の疫病が広がる。

1830〜40年：メキシコからきたスペイン系植民者がウィントゥンの領地でインディアンを捕獲し奴隷制度を開始する。

1839年：現在のカリフォルニアの州都、サクラメントのサターズ・フォートで金鉱が発見される。

1841年：アメリカ海軍大尉、チャールズ・ウィルクス率いるアメリカ合衆国探検遠征隊の2つの派遣団がウィントゥンの領地に達する。

1847年：植民者がテヘマ郡全域を占拠しはじめる。

1848年：メキシコの占領下にあったカリフォルニアの土地がアメリカ合衆国へ引き渡される。この時点で10人の白人がテヘマ郡に住んでいたと記録されている。

1849年：テヘマ郡の川沿いの町で人口が急増する。この地域は、テヘマ郡より南に位置するカリフォルニア・ゴールドラッシュを支える食料としての作物や家畜を送る川船の船着き場と化した。

1850年：ネイティブ・アメリカンの年季奉公や奴隷制度がカリフォルニア州で合法化される。この制度はカリフォルニアのインディアンの子供や若者を、その家族、言語、文化から意図的に引き離し、白人に奉公させることを目的として制定された。仕え先のないインディアンは罰せられ、白人開拓者たちに競売にかけられ奴隷として売られていった。

1851〜52年：ネイティブ・アメリカンに土地を約束する計18の条約をアメリカ政府との間で締結するが、その後上院議員らによって批准されることなく機密文書として保管され、1905年までその事実が隠蔽されていた。ネイティブ・アメリカンは強制的にアメリカ軍の配下にある特別保留地へと追いやられた。

1851〜59年：アメリカ政府が民兵軍に資金を提供し「対インディアン遠征隊」を結成。民兵はインディアンを狩り、その頭皮を持ち帰ることで賞金を得ていた。

1854年：アメリカ連邦局インディアン管理局監督のトーマス・ヘンリーがテヘマ郡に25000エーカーのノムラキ・インディアン特別保留地を設置。ちなみに部族の言葉で本来は「ノムラカ」と発音するが、英語では「ノムラキ」と変更された。

1855年：ノムラキ・インディアン特別保留地にアメリカ軍のボース駐屯地が設置される。

1856年：他の部族もノムラキ・インディアン特別保留地に強制収容される。

1857年：壊滅的な疫病が再度流行し、多くのインディアンがこの保留地で病死した。

1850年代後半〜1860年代前半：一部のノムラカが保留地から抜け出し、開拓者の土地に行き庇護を求めた。

1860年：連邦政府の国勢調査により初めてパスケンタのインディアンの人口の記録がとられた。僕たちの先祖であるビッグリズは開拓者アレックス・ビーンの家政婦として記録されている。年季奉公や奴隷制度を合法化した「1850年の決議」の改正により、インディアンの奴隷化がより簡略なものとなった。

1863年：ノムラキ・インディアン特別保留地に残っていたインディアン全員がラウンドバレー特別保留地へ強制移動させられる。

1870年代：カリフォルニア州各地のインディアン特別保留地にてキリスト教の信仰が強制される。この頃からカリフォルニア州北部のインディアンの間でヘシ宗教（Bighead）が広まる。キリスト教以外の宗教が禁じられていたため、その後現在に至るまでヘシ宗教の信仰は密かに行われた。

1872年：カリフォルニア州のインディアンに初めて裁判で証言することが許される。それまでは、自らを弁護することができなかった。

1879年：ペンシルベニア州にカーライル・インディアン工業学校が設立される。これを皮切りにインディアン寄宿学校が各地に作られた。インディアン寄宿学校は白人キリスト教徒によって設立、運営され、同化教育（Americanization）を促進させることによりインディアンの宗教や言語、そしてアイデンティティそのものを奪うことを目的としていた。

1881年：インディアン寄宿学校がカリフォルニア州で開始される。

1903年：カリフォルニア州リバーサイドにあるシェーマン・インディアン寄宿学校（旧ペリス・インディアン寄宿学校）で僕たちの祖母と同地域出身のインディアンたちが生活していた。

1905年：1851年から1852年にかけて締結され、機密文書として保管され、不履行のままであった18の条約が公開される。これを機に様々な団体によってカリフォルニア・インディアンの土地の権利をめぐる争いがはじまる。

1907年：グラインドストーン・インディアン居留地がつくられる。

1917年：カリフォルニア・インディアンにアメリカの市民権が与えられる。

1920年：パスケンタ居留地がつくられる。

1924年：アメリカ全国のネイティブ・アメリカンにアメリカの市民権が与えられる。

1928年：米国議会がカリフォルニア・インディアンの法的定義を「1852年6月1日の時点で同州に居住していた者」と定める。これによって、僕たちの曽祖父母は1929年に米国内務省へ登録される。

1958年：インディアン居住地廃止法令が制定される。この法令は居住地を世帯毎に区画割し、インディアンに土地の売却を促した。この法令の最大の目的はインディアンを特別居住区から立ち退かせることで、部族としての団結を弱め、アメリカ社会への同化を促進させることであった。

1959年：パスケンタ居留地が廃止される。

1975年：「インディアン民族自決および教育援助法」が制定され、アメリカ政府によって廃止されていた多くの部族が政府の再公認を受ける手段を見出す。

1978年：「アメリカン・インディアン信教自由法」が制定され、ついにインディアンたちの信仰の自由が許された。

GENESIS PLACE

Life

生まれる／生きること

ここ一年ほど、週に1回程のペースで自分が飛んでいる夢を見続けていて、最近では頻度が増えてきている。初めはかろうじて地面の上を飛んでいたぐらいだったけど、それでも飛ぶのにかなりの集中力が必要だった。その夢は日常のシーンで、例えば都会の街の歩道を僕がゆっくりと宙に浮いたまま進んでいて、通りすがる人たちに気づいてもらおうとしていたりする。「僕が重力に逆らっているのにみんななぜ驚かない?」。そしてイライラしながら汗まみれで目覚める。

それから数か月後、夢の中で高く飛ぶのがどんどん上手くなってきた。ちゃんと集中すれば屋根の上ぐらいまで飛べるようになったけど、いつもそこで気が散ってしまうか、高くて怖くなり、集中力が切れて落ちていく。だからいつも目が覚める直前は心臓がバクバクしながら、恐怖の中、地面にぶつかっているか木の枝か電信柱からぶら下がった状態だった。でもここ数週間は、すいすいと飛んでいる。もちろんまだ飛ぶには完全な集中力が必要だけど、高さや落ちることへの恐怖心は克服した。しかも最近は連続してきちんと着地できている。そしてこの不思議な自分の上達ぶりに満足感を得ながら笑顔で目覚める。

僕はこれまでも、目覚めてからもずっと思い出せるような鮮明な夢をよく見ていた。だから夢を分析するようになったし、結果的にわからなくても、いつもそこに何か意味があることを知っている。僕が絵を描いたり、ものを書いたりするときもまったく同じ姿勢でアプローチする。自分の頭の声を静めて、夢に導いてもらう。自分の夢と触れたり、またその存在に、起きている間の自分の思考と同じくらい、あるいはそれ以上の正当性を与えたりすることで、

この世界を作り上げているものの全体図が見えてくる。アメリカで生まれ育った僕たちが教えられてきたことのほとんどは、人間としての役割から僕たちの注意をそらすことばかりで、でもこの虚無感を埋める心の支えになる何かがない限り、その事実を見抜ける能力があったとしても頼りない帆船のようなものだと思う。だから自分の中にある最も深い井戸から、この体と心をつくった見えない力を引き出してくる方がよほど効率がいい。僕は、自然界をつくり出すこの力をよく観察し、それを上手く利用してこの世界の調和をもたらすことに人生を捧げた僕らの部族の人々を信じている。そして彼らもまた夢で見る世界を重んじていた。

悲しいことに、現在、世界は文字通り火で燃えている。そして、こうした不快な自然界の不調和を防ぐための先住民たちの知恵は、今、世界を支配する人びとから長い間蔑ろにされ続けている。どこに住んでいようが、どこの出身であろうが、古くからある知恵というのは、人間にとってこの地球で暮らすためには必要不可欠なものだ。知恵が受け入れられ、現代社会に活かされるようになる前に、先住民たちが歴史の中で傷ついた心身をまず癒すことが最初のステップだと思う。僕たち部族の伝統の中には、心身の治癒や活力を蘇らせるための知識がたくさんある。

ノムラカの人のはじまりの話

アン（カメ）とキキーク（鳩）の時代から長い月日が経ち、サールトゥ（神様・創造主）はオルエルパンティ（天界）から非常に興味深くパァスケンティの大地を見下ろしていた。サールトゥはある日ワイクックチの頂上に舞い降り、辺りの景色を見渡して、オルエルパンティに住む生き物を地上に連れてくることを決めた。この生き物たちが、私たちが今でも見る植物、動物、魚や虫そして空模様となった。彼はパアスケンティの素晴らしい景色に大変感動した。そして、もうひとつ生き物をつくることにした。そしてウィントゥン（本物の人々・インディアンたち）をつくると宣言した。サールトゥがワイクックチの頂上に再び立ち、辺りを見回していると、昔キキークが巣にしていた赤い枝のエルダーベリーの茂みを見つけた。彼はこの巣から2本の枝を取り、ウィントンをつくることにした。枝の上部から左右に伸びている小枝が我々ノムラカ族の腕となった。枝の下部から左右に出ている小枝は私たちの脚となった。立派なエルダーベリーの枝を集めると、サールトゥはワイクックチの頂上を少し片づけ、自分が座れるような場所を作った。この場所を、ソンティローカ（輝く石）と呼ぶ。エルダーベリーの枝が柔らかくなり、本物の人間になるようにと、この場所でサールトゥは4日4晩、枝に歌い続けた。サールトゥがウィントゥンのために歌っていると、南からコヨーテがやってきて、「何をしている？」と聞いた。サールトゥは「ウィントゥンをつくっているのだ。彼らは完璧なものになる」と答え、エルダーベリーの枝に向かって歌い続けていると、コヨーテは独り言のように「そいつらは我々のようにヤパイテゥ（天に住むもの）ではない。完璧なものになるはずがない」と言った。それでもサールトゥはこれからウィントゥンとなる枝に歌を歌い続けた。少し気をそらした際にコヨーテが柔らかくなった枝に近づき、それぞれの枝の真ん中あたりをくんくんと匂いを嗅いだ。すると枝に痕が残り、それが今の私たちのヘソとなった。コヨーテは威張りながらこう言った。「それ見た、このウィントゥン達は完璧でも何でもない！」サールトゥはそれに対して「確かに欠点がついてしまうかもしれないが、彼らの精神はまだまだ強いものになるだろう。しかし、結局ウィントゥンは天界からきたわけではないから、私たち天に住むものが彼らを助けてやらなければならない。あのエルダーベリーの木に実る多くのベリーのように、ウィントゥンもまた増えてゆくだろう。」

So it is, and so it shall remain.——この通りである、そしてこうあり続ける。

肌は木の皮でつくられている。

are formed from branches

our skin is made of bark.

私たちの骨は木の枝から成り

我々はドングリのひと

we are acorn people our bones

we are acorn people shining and full of life.

我々はドングリのひと

輝き、

いのちに溢れている。

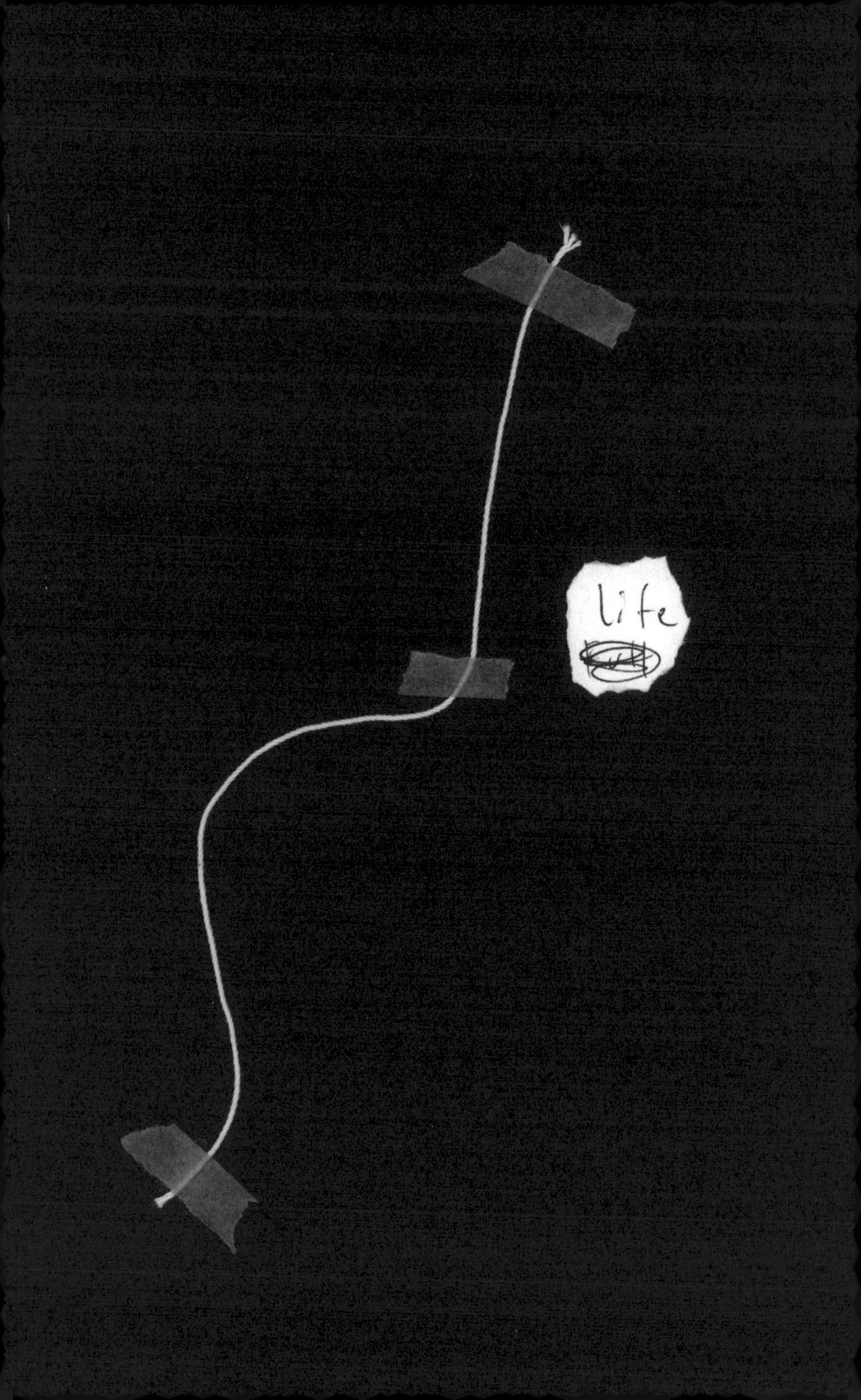
life

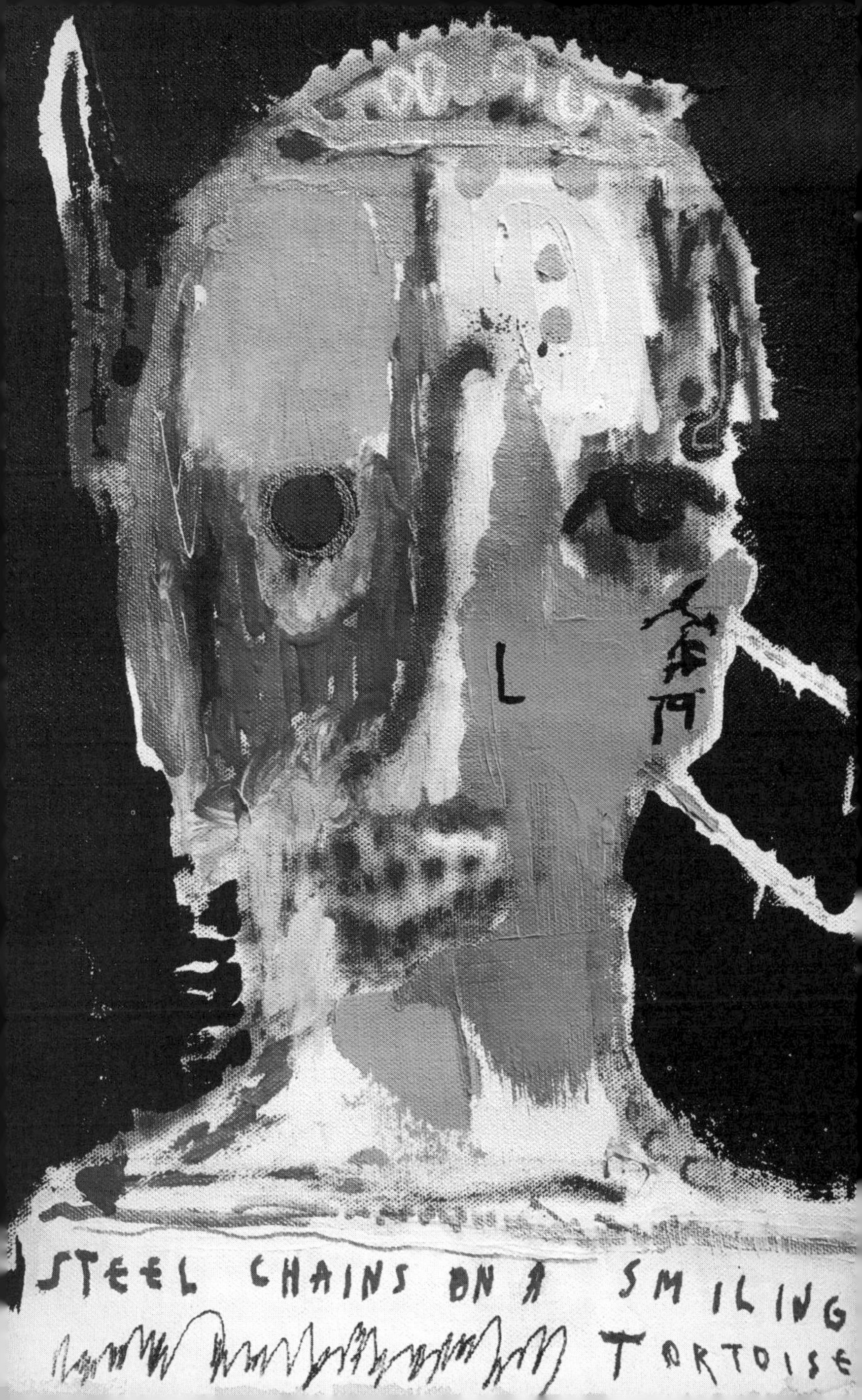
L
STEEL CHAINS ON A SMILING
TORTOISE

時折、僕らは穴だらけの船で航海しているように感じる

僕は、僕の先祖が生き残るはずではなかった国に生まれ、幸いにも先祖が生き残ってくれたおかげで、ここにこうしている。周りを見回してみても、今は「アメリカ」と呼ばれるこの場所のすべてが、かつて彼らのものだったことはそう簡単にはわからない。僕の先祖が植民地化がはじまるまでの何千年間に手入れをしてきたこの土地以外に、そう遠くない昔、この国が僕ら先住民だけが住む場所だったことを示すものは、信じられないくらい少ない。単純にそのことについて語れる僕らインディアンの人口そのものが少なすぎるし、特に僕の故郷は際立って少ない。僕が育ったカリフォルニア州のパラダイスと呼ばれる町は、2万人という総人口がありながらも、当時僕が知り得る限りでは、インディアンの家系は僕の家族だけだったと思う。他にもインディアンがいたか意識的に見ていたわけではないけど、今あの町のことを思い返してみると、僕らは最小人口の人種であったと言いきれる。

僕の自分自身のインディアンのルーツについての知識といえば、学校で受けたヨーロッパ系移民とインディアンたちのいわゆる「出会い」について、ぼんやり且つかなり偏った説明と、お母さんからさらっと「あなたにはインディアンの血が入ってるわよ」と言われたことぐらいだ。自分たち

の運命を切り開きながら、アメリカ大陸を西に渡る白人開拓者を妨げる野蛮な敵として描かれているインディアンを教科書などで幾度となく見てきたから、そのときは特にインディアンになりたいとも思わなかった。

僕は2歳という早い段階で、人と会話ができて、すでに簡単な英単語の読み書きをはじめていた。だから幼稚園に入る頃には、他の子供たちより3年ほど早いスタートをきっていた。僕は課題を早く仕上げて、みんながまだ課題を解いている様子や、先生が退屈したり、課題を上手くこなせず落ち着かない子供たちを注意したりしている様子を静かに観察していた。学校では授業の内容よりも、教室に教育のために意図的に置かれているもの、決められた一日のスケジュールや、クラスメイトや先生の性格といった、学校で時間を過ごす行為そのものの方が僕の興味を引いた。その時々の状況を詳細まで解析し、でもそのことを誰にも言わないというのが僕の性格の一部だった。そんな感じで学校での時間を過ごし、この考察は学校から帰った後のこの小さな町の世界でも続いていた。帰宅してからの自由な時間が楽しみで、放課後は自分の部屋で絵を描いているか、家の庭にたくさん生えていた木に登って本を読んだりして過ごした。

パラダイスという町には、背の高い松や楢の木、川や山しかなく、子供はそこで遊ぶ他に特にやることもなかった。ゴールドラッシュの名残がある地域の似たような町のひとつで、その時代をテーマにしたフェスティバルやパレードが毎年開かれる度に、ここがそういった町だったことを思い出させた。この辺の山の上では特に大きな金の塊が取れたらしく、地域の歴史博物館ではそのレプリカとして金色のスプレーで色付けされた石がメインの展示として飾られている。子供の頃に学校の見学で訪れたときは、この町の歴史のどの部分にどのようにインディアンたちが属するのか不思議に思ったけれど、誰もそのことについて話したくないのか、その話題は敢えて避けられていたような気がする。その感じは僕が旧約聖書の話の中にいつ、どうやって恐竜たちが出てくるのかを質問したときのようだった。恐らくそれは想像にお任せするという回答が無難なんだろう。学校や教会、さらには自分の家ですら、子供なら知りたがる太陽系のことや先史時代の生き物などの話題に自然と会話が進むと、キリスト教原理主義の考え方を持つ人たちの間に、いつもなんとも言えないぎこちない雰囲気を感じていた。もちろん人間の創造という壮大なテーマは頭の中でぐるぐるしていたけれど、それよりも、もっと身近な歴史として、僕のインディアンの祖先がどのようにこの国の物語の中に登場するのかが気になっていた。幼稚園のクラスで僕たちは、しわしわの茶色の紙袋とホッチキスで止めた画用紙の羽根で安っぽいインディアンの衣装をつくり、現在のサンクスギビングの由来となった物語を聞かされた。小学校に入ると僕たちは砂糖菓子を使ってカリフォルニア・ミッション（※）の建物の模型をつくりながら、東から領地を拡大していったアメリカ合衆国が現在のカリフォルニアを含むアメリカ西部を獲得したときのことを学んだ（こんな暴力的なアメリカの歴史を学ぶのに、甘いお菓子ほどの子供騙しはあるだろうか）。また、教科書に描かれるイラストは、白人のヒーロー、白人の大統領や白人のイエス様など、教会の日曜学校で習う聖書の物語とそっくりだと気づいた。僕の容姿は彼らと全然違っていた。学校で習う白人の偉人の数が増える度、「なぜ僕みたいな見た目の人が一人もいないんだろう」と問いはじめた。

（※）スペイン系カトリック教会が現在のアメリカ西部に先住民たちへの布教活動をするために建てた施設のこと。

僕の幼い頭でも、僕たちが教わる話では、その答えは意図的に省かれていることは理解していたけれど、僕自身が元々シャイだったことと、当時学校や教会で習うことはたわいない無邪気な内容にも思えたので、特に声に出して聞くことをしなかった。どうせ正しい答えが返ってくる期待もしていなかった。僕の幼少期は、周りから聞くことと僕の内面の感情の間に存在するこの不思議な隔たりだらけだった。僕らが住んでいたこの小さな町では、みんなどこか台本通りに演技をしているかのようで、少しでも台本から外れると、冗談でごまかされてしまう。恐らく、大抵のアメリカの似たような小さな町では、同じような気味の悪さがあると思う。それに、もし僕がアメリカの敵側ではなくてヒーロー達と同じ側の人間だったら、きっとみんなと同じように、自分の役を演じる以上に深く考えたりはしなかったと思う。だけど実際のところ、この褐色の肌と不思議な人種のミックスのおかげで、僕は周りのありとあらゆるものに疑問を持ち、返ってくる答えには真実の欠如があって、自分の想像力で穴埋めするということを学んだ。どちらにしても、僕は自分の内側の世界の方が好きだった。なぜならそこが唯一、自分自身になれる場所だったから。

＊　＊　＊

日本に住んで数年が経つけど、会う人はみんな僕がどこの出身か興味津々だ。「カリフォルニアだ」と答えると、僕が日本語を話すこともあって、「日本人とのハーフか」とよく聞かれる。「父方はノムラカ族、ポモ族、ユキ族、アイルランド人、フィリピン人、ハワイ人で、母方はラコタ族、チェロキー族、フランス人、ドイツ人、アイルランド人」だと答えると、いつも会話の話題はなぜ僕が日本語を話せるのか、他に話せる言語があるかどうかとなる。カリフォルニアにたくさんある先住民の言語のひとつであるノムラカ語を学んでいるところだと説明すると、「それって英語とは違う言語？」と尋ねられる。なので、英語はイギリスから僕たちの大陸にやってきた外国語だよと答える。とは言うものの、僕も、僕ら部族の伝統的な文化や言語が生まれた場所に育ちながらも、それについてはまったく何も知らなかった。僕の両親も何の知識もなかった。僕の父方のおばあちゃんはノムラカ語を流暢に話したけれど、子供たちには教えなかった。きっと理由は、そもそも子供たちがその言語に興味がなかったことや、貧しくて、肌が褐色だったことが白人たちよりもアメリカ人として劣っているとされていた小さな町では、先住民の言語を使うことへの理解も得られるはずがないから。僕のおじいちゃん、おばあちゃんの世代にとって「先住民の文化が奨励されてなかった」なんていう表現はかなり生ぬるい。インディアンがお金のために白人の入植者にまるで動物のように狩られていた頃から2世代後が彼らの世代だが、強制労働収容所に家族を残して、彼らの世代だけが別に隔離された。中学校に入る頃には、僕のおばあちゃんは故郷のカリフォルニア州パスケンタから車で8時間以上かかるほど遠く離れた同州のリバーサイドに連れて行かれ、アメリカ文化に馴染むために、友達とともに強制的にインディアンの寄宿学校に入れられた。その方針の一環には、英語以外の言語を話しているものには罰が与えられ、白人の教師たちはこのルールを守らせるために様々な手段を使った。それでも、僕のおばあちゃんは彼らに部族の言葉を奪わせなかった。3年間そこで耐え忍んだ後、彼女は2人の友達と逃げ出して遠路をはるばるヒッチハイクしながら北カリフォルニアに戻ってきた。彼女たちはそれ以来、自分たちの間だけで部族の言葉を話し続けた。18歳でサンフランシスコに引っ越してきたとき、僕は不満の塊だった。高校を卒業した瞬間に町を出ていく計画はずっと決めていたし、その通り実行し、サンフランシスコにいるとほっとした。でも同時に、それまで僕が育ってきた文化のかけらもない森の中の町、慌てて逃げ出してきたあの小さな町の外で、実はいろいろな文化が共存していたということに自分がいかに無知であったかに気づかされた。

サンフランシスコの現代美術館を初めて訪れたときに、もしかすると自分はアーティストなのかもしれないという可能性を信じはじめた。そのときのメインの展示はフィリップ・ガストンだった。それまで名前を聞いたこともない画家だったけど、彼の作品を見ると、なぜか彼のことをずっと知っていた、そんな気がした。順番に展示会場を回り、メインの部屋に入ると、四方から僕に向かってくるような彼の絵に圧倒された。なかでも晩年に描かれたピンクと赤の巨大な油絵は最も印象的だった。キャンバスに描かれていたのは頭巾を被った人影が漫画に出てくるような車に乗っている様子で、汚い、歪んだ町並みにその車から出た排気ガスがたなびいていた。その他にも、絵筆とタバコをつかんでぐるぐると交差する腕と、絡まって数えきれない結び目ができたパイプのような脚の大きな塊が描かれた絵などがあった。一人の人間が、パレットの上のわずかな色とその頭の中にあるものだけで、こんな空間さえもつくり得ることに驚いたし、自分が眠っているときより他に、こんなに完全な夢の世界を見たことがなかった。彼の絵を見て僕は、なぜ人間が火の光をたよりに黒い動物の形を洞窟の壁に描きはじめたのかという問いに対する、言葉では言い表せない理由に思いを馳せた。彼の絵は僕に、太古の昔から天体は空のずっと向こうで回り続けているということを思い出させてくれて、それが漆黒の闇をくぐり抜けて彼の筆先で表現されたように感じた。本当に素晴らしい画家は皆、このエナジーの根源から絵を描いているようだ。ミュージアムの中には他にもポロック、ロスコ、ピカソやマティスなど、どこかで耳にしたことのある有名どころも展示されていて、まさか一度に彼らの作品で埋もれることができるなんて思ってもいなかった。年月を経てもなお、彼らのエナジーは一切衰えていなかった。まるで彼らが生き物に息を吹き込み、それが今なお脈打っているようだった。内心、大声で笑うか泣きわめいて、この静けさを破りたいと思ったけど、どう反応するか決めかねて、あきらめて、まるでこの上ない秘密を知ったような気持ちで、静かに残りの展示を見終えた。白髪のカツラと入れ歯で有名なアメリカ建国の父、ジョージ・ワシントンなど、この国で僕らが敬うべきとされている、いわゆるヒーロー的存在は、この生き物が多く息づく森の中では、紙幣に印刷された通りに、どこかぺらぺらに思えた。美術館のアーティストたちは、僕にとって本当のヒーローで、生きている喜びを感じさせてくれた。あまりにもシンプルでピュアで、まるで子供同士のような、彼らの異次元の会話に参加しているような気持ちになった。そうして僕の魂が少し開いた。そこから漏れ出たものは、目の前にあるものから放出されているものと同じエナジーだった。「彼らは間違っていないかもしれない。僕の中にも必要なものはすでに揃っている」、そう思えた。自分が彼らのように素晴らしいアーティストになれるとはまだ信じきれていなかったけど、根本的なところが共通している確信はあった。その日以降、コミュニティ・カレッジでとっていたベーシックアートのクラスで、僕の推測は間違っていなかったと気づく。アートの極意とは、人から習うものではなく、そこに入り込んで降りてくるものを受け止めることだ。この事実が僕の中でより明確になってからは、借金をしてアートを学校で学ぶ理由がなくなった。それから数年間、僕はスニーカーショップでアルバイトをしながら、時間の許す限り、自宅のキッチンで絵を描いた。サンフランシスコの端っこにある僕が住んでいた場所はいつもグレーの霧の中に包まれていた。海からくるしょっぱい霧は、新しい街での僕の人格が定まるまで、身を潜ませてくれているような気がした。本当になりたかった自分になれること、というより、そもそも自分が誰だったのかを少なくとも問いはじめられる場所を与えてくれた。でも、初めて従兄弟の歌を聞くまで、僕はこの感覚が、本当に意味することに気づいていなかった。

風のように
僕たちの先祖の光は
川の水面で
夜空で
目のはしで揺れて輝く。

これらの記憶は
光の向こう側からきて
僕を通りぬけていく。

ここはすべて移り行く夢。
僕たちの母と父の努めが
形を成す。

形や色の始原が
風と星たちのように
一緒に笑ったり泣いたりする

like wind
the light of our ancestors
flickers on the river
in the night sky
in the corners of your eyes.

these memories rush through
me from beyond light.

it's all a transforming dream
here. this work living between
our mother and father forms.

the raw origins of shape and
color laugh and cry together
like stars and wind.

インディアンへの関心のほとんどのことがそうであったように、僕の部族への関心もまた、歌からはじまった。従兄弟のコーディーとは、2007年に彼がサンフランシスコを訪ねてくるまで、随分と長い間会っていなかった。小さい頃に家族から、彼がフラダンスとハワイ語を教える先生で、プロのシンガーソングライターとしてツアーのためによく日本を訪れていたことは聞いていた。コーディーが僕よりも10歳年上なこともあって、思い出すのは僕がまだ小さかったときに、彼が僕のベビーシッターをしてくれていたことぐらいだ。それから2年程して、彼の家族はハワイに引っ越した。だから僕の中の彼の記憶といえば、僕のパラダイスの実家のリビングルームに留まっている。それ以来、親戚の集まりで何度か会ったくらいで、こうして大人になってからサンフランシスコで彼と再会して、初めて彼ときちんと話した。どうやって言語を学びはじめたのか尋ねると、彼は僕らのおばあちゃんのことを話してくれた。コーディーがまだ20代前半だったある日、彼が以前見つけた書類に書いてあった「どんぐりのスープ」という意味のノムラカ語の単語を、試しにおばあちゃんの前で発音してみたところ、彼の発音の間違いを直したのだ。「違うよ、ループじゃなくてシュップと発音するんだよ」。彼は、おばあちゃんがノムラカ語を流暢に話せることに驚いて、言語についていろいろな質問をした。それ以来彼は、インディアンの文化を教えるキャンプで他の部族の人たちからも学び、幾多のエルダー(年長者)から指導を受けたりした。

このサンフランシスコの旅で、先住民の言語に関する学会のスピーカーとして登壇する予定のコーディーは、そのスピーチに僕を招いてくれた。正直、それがどんなものなのか想像もできていなかった。僕は会場の後ろの方に座り、発表のために演壇に上がるコーディーを見ていた。彼は最初に自己紹介をし、ノムラカ語のお祈りの歌でプレゼンテーションをはじめると説明した。会場の全員が席から立ち上がった。彼は手に握るクラップスティック（棒状の打楽器）を取り出し、歌いはじめた。木でできたその楽器は、高まったり、沈んだする強弱の波を繰り返しながら、まるでキツツキが木をつついているかのような音を響かせた。そしてその歌は、これまでに感じたことのない自分の中の何かを掻き立てはじめた。会場の端にいる彼から発せられる音が僕の耳に入り、僕の内側にある何かをせき止めるゲートが一気に開いたような感じだった。それまで夢の中でしか感じられなかった自分の内側の深いところにある部分が、そのとき初めてはっきりと見えた。あの歌から感じ取れるエナジーこそが僕だったのだ。それまで慣れ親しんでいた上辺のイメージからはかけ離れた、真のカリフォルニアという場所を心に感じた。それはあの景色の本質そのものだった。僕の骨をも振動させるクラップスティックの音の波で、歌はより力強く響いた。僕の中の古を記憶する部分と繋がるその音もまた、古来のものなんだと感じた。そして今まで認識したことのない自分の中の一部と再会できたような気がした。歌を聞いている間は、こんな思いが沸き起こって、僕を満たしていった。誰かが強要したわけでもないのに、瞬時に僕はその歌から伝わってくる真実を素直に受け止めた。いつものように、異なるものへの違和感や、疑問を持つことすらなかった。コーディーが歌い終わり、皆また着席した。込み上げてくるいろいろな感情でショック状態の中、床が抜けて異次元に行ってしまったような気持ちだったけど、平静を装って、プレゼンテーションの続きを聞いた。コーディーの歌から感じたエナジーを自分の中に感じながら、彼がノムラカの言葉を、その歴史と場所について交えながら説明するのを聞いていると、人生で初めて「we」という言葉の存在に気づいた。「our tribe（僕らのトライブ）」「our language（僕らの言語）」なんだ。この所属意識は世界中のほとんどの人にとってたぶん当たり前のことだけど、僕にとってこの発見は重要な通過点だった。また僕たち部族の歴史にとっても。

プレゼンテーションが終わり、僕たちは車でバークレーからサンフランシスコへ戻った。もっと歌って欲しいという僕のリクエストに応えて、コーディーはレンタカーのハンドルを片手にクラップステックを足に叩きつけながら、いくつか聞かせてくれた。そしてノムラカ語も教えてくれた。僕はできる限りその音を真似ようとしたけれど、慣れない太古の音に舌や頬が思うように動かなかった。それから彼は、州の花でもあるカリフォルニアポピーは、部族の言葉で「ボールボロックカラール」と呼ばれ、「蝶の花」という意味があることを教えてくれた。「ボールボロック」は「蝶」を指すが、本来の意味は「穏やかに動く」を意味する。その説明を聞いて僕は、あのオレンジ色の薄い花びらが風でひらひらと揺れる様子と、触ったときに肌に触れたことも感じないほどの軽やかさを頭の中に思い浮かべた。「カラール」というのは「花」という意味だが、元々は「見せびらかすもの」という意味がある。その説明を聞いて今度は、咲いた、その色と香りで虫や動物を誘うという花の本来の役割について考えた。英語の「ポピー」という言葉は何という意味があるのだろう。それまでの人生で何千本とこの花を見てきたけど、特に深い意味など考えたことがなかった。この小さな花の名前ひとつにしても、部族の言葉で聞いただけで、ノムラカ文化がどれだけ自分たちのはじまりの土地と繋がっているかが窺えた。教えられてきた、境界線で区切られたカリフォルニア州の町や都市のイメージではなく、それらの下に存在する、線も境もない、古くからあるこの場所。

英語からは、僕たちが生まれた場所やその親密性は感じられなかった。これが僕のノムラカ語の最初のレッスンだった。教えられた言葉を声にするのは心地よかったけど、そのときは僕がこの言語を話せるようになるとは到底思えなかった。

サンフランシスコに戻るとコーディーは、彼が使っていたクラップスティックが乾燥させたエルダーベリーの木の枝から作られていること、その木の枝は、ノムラカ族の骨を象徴するものであることを教えてくれて、持っていたクラップスティックを僕にくれた。その後、僕はサンフランシスコに残り、コミュニティ・カレッジでの残りの年数を修了して、日本に引っ越した。

BONES

stay close
to the dream world
I tell myself
climb a tree
and consider my bones.

「骨」

夢の世界から
遠ざかるな
自分にそう言って
僕は木に登り
自分の骨のことを考える。

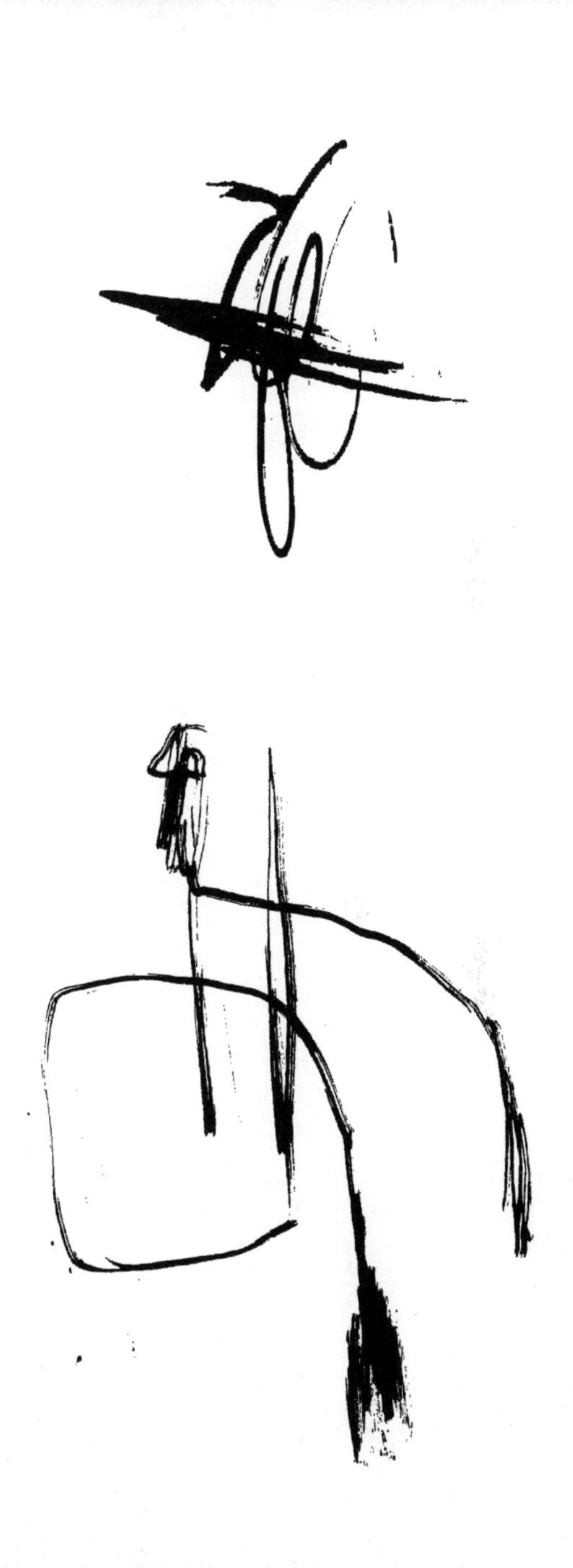

タンポポの形をした鍵

２００９年に初めて日本に引っ越してきたとき、僕は学生ビザで2年間を東京で過ごした。通っていた日本語学校を２０１１年の夏に卒業して、ビザが切れた後サンフランシスコに戻ってきた。自分の個展を開くことと、日本語を話せるようになるという2つの目標も達成した。まだ部族の言葉や文化についての知識は皆無だったけど、日本で生活したことでこれから学ぶ準備はできていた。ノムラカ文化と言語は、アメリカの文化や英語なんかよりずっと日本のそれと共通する部分が多いということを、知ることとなった。最初は随分遠回りをして自分の家に着いたような感じがしたけど、日本の文化に浸ったその2年間がノムラカ文化を学ぶために必要な準備をさせてくれた。

従兄のコーディーは数か月に一回、自宅があるハワイからカリフォルニアを訪れ、その度に僕は、彼に会うために、僕たちが「パァスケンティ」と呼んでいる地域にある、部族の土地へサンフランシスコから車で通った。アメリカ人にとって最も習得が難しい言語のひとつとも言われる日本語を2年間学んでいたから、ノムラカ語を学びはじめるということに躊躇はなかったけど、古くから伝わる文化を継承するということについては気後れを感じた。コーディーは部族の言語を流暢に話せる最後の一人で、僕もいつか彼の後に続きたいと思った。

A DANDELION-SHAPED KEY

再び故郷の地を踏むことはとても心地よかった。日本に長く居たので、赤い土や乾燥した暑い夏があるカリフォルニアの感覚を忘れてしまっていた。外国で住んでいたことを密かに胸の内に秘めつつ、そこに戻ることは不思議な気持ちだったし、いつも頭の中でこの2つの場所を比較していた。近所を歩いたり、スーパーに行ったり、道で英語が聞こえてくることがどこか新鮮に思えた。もちろんこの環境の中で育ち、培われたものは自分の中に存在するけど、それが僕の思考に与える影響は少なくなっていた。アメリカの現代文化自体が異国のものに思え、以前に増して愛着が湧かなくなった。どちらの国にも属さずこの2つの国の間に存在しているような気がした。この感覚は東京で初めて何千人もいるひとつの人種に囲まれ、人生で初めて僕が「外国人」となったとき、なぜかそこに安堵を感じたことに似ていた。アメリカではインディアンであっても白人でない限り、常に「外国人」であるような感覚に陥らされる。でも、街を離れて、山の近くの部族の土地の静けさに入ると、少なくとも数時間はこうした雑念も忘れ去ることができる。

コーディーと僕はいつもノムラカ文化にまつわる学びを目的として一緒に時間を過ごした。大体は薬や食べ物として使われていたその土地に自生する植物を採りに行き、ノムラカ語の新しい単語を学んだりしていた。薬用のベイリーフ(カリフォルニアの月桂樹)やワームウッド(ヨモギの一種)、バスケットを作る材料になるセッジの根(スゲ属の植物)やレッドバッド(アメリカハナズオウ。淡いピンクから紫の花をつける落葉樹)などの木の皮や、様々な種類のドングリ、野生の芋やエルダーベリーの木など、その季節に採れるものを探して2人で車を走らせた。僕は主にコーディーの話に耳を傾け、彼がやることをそのまま真似た。生まれてからずっとこれらの植物たちに囲まれて育ち、子供の頃には用途や目的を知らずに遊びに使ったりしていたことに、今こうして初めてその植物の本来の使い方を学び、恥ずかしさを覚えた。コーディーは跡をできるだけ残さないようにそっと歩くことや、自分の足の下にあるものや身の回りにあるものに常に注意を払うよう教えてくれた。僕はまさにこの故郷で初めて歩きはじめた幼児のような気持ちだった。

僕はいつも、植物を採る前にコーディーの歌を聞けるのを楽しみにしていた。彼の歌声は、僕らの先祖たちが歌っているような音がして、聞いていると僕自身もこの場所の一部であることを感じさせてくれた。部族の歌をその土地で聞くのは、僕が感じ取るすべてのものがひとつに溶けていくような感じがして、バークレーで最初に聞いたときとは違って聞こえた。その感覚は日本でアイヌや琉球の歌を聞いたときに、その歌声がその場所の海や山を思い浮かばせてくれることに似ていた。部族の歌は、僕たちが生まれたとされる連なる丘を表現したような音で、そのエナジーが土の下から草や木へと上がってきて、声帯を通り抜けて音の波をつくり、またそれが植物に戻っていく様子を思い浮かべる。コーディーはどの草花を採取するかによって、違う祈りの歌を歌う。こうして彼の歌を繰り返し何度も聞いていると、今度は僕が代わりに歌ってみてはどうかと言った。こうして僕は歌いはじめてみたけど、いつも間違えてしまわないか、歌を台無しにしてしまわないかと、とても緊張した。もちろん間違えるときもあったし、間違えずに歌えたときもあった。こうした祈りの歌を通して、僕たちは部族の言葉で直接植物に話しかけていた。僕とコーディーは、人間とこれらの植物の関係性、部族の土地に存在するすべてのものとの関係性、それらが僕たちに何を与えてくれているかを知ること、そして必ず僕たちなりのエナジーで何かお返しをすることなどについ

てたくさんの話をした。このエナジーのお返しというのは、語りや祈りの歌で発せられる声の振動や、植物を採る前に貝殻でできたビーズをその植物の根元に撒くかたちで行われる。死んだ鳥から貴重な尾の羽を抜く際も同様に、コーディーはまずビーズをひとつクチバシに中に入れる。人間が歌を歌うときは話すより声が拡声されるので、そのためにより強まったエナジーが歌っている対象へと返っていくのだと彼は説明してくれた。磨かれた貝殻でできたビーズは、きちんとしたお返しになるようにと、時間をかけて気持ちを込めてつくるので、貝殻そのものの大きさよりエナジーが凝縮される。こうして僕は次第にノムラカ語の植物の名前とそれぞれの植物がどのような土地に生息しているかを覚えるようになった。この土地に自生する植物各々に違った名前と意味があることを知ると、景色が今までと違う新しいものに見えてきた。

「満ち足りる」

地球や天気のように
僕はきまぐれ。

今日は満月で
動物もみな
僕と一緒に
この光とパワーを自由に使っている。

明日の朝
僕は
閉ざした花のように起きて
今日は開こうか
閉じておこうか決める。

ここに
目を閉じて
暗闇のなか息をすることは
なんて贅沢なんだろう。

FULL

I AM MOODY
LIKE THE WEATHER AND EARTH.
TONIGHT
THE MOON IS FULL
AND ALL OF THE ANIMALS
ARE OUT WITH ME
USING FREE LIGHT AND POWER.
TOMORROW MORNING
I WILL WAKE UP
LIKE A CLOSED FLOWER
AND DECIDE IF TODAY
IS THE DAY TO OPEN
OR NOT.
HOW RICH WE ARE HERE
EYES CLOSED
BREATHING IN THE DARK.

INSIDE THE
ROUND HOUSE.
15-8337
15-8337

the moon
DEATH
LEVI

D.I.E.(do I exist)

良い知らせは　キツツキが
冬にドングリを保存するのに
弾痕を使えることだ。

D.I.E. (do I exist)

the good news is
woodpeckers
can use
bullet holes
to store acorns
for the winter.

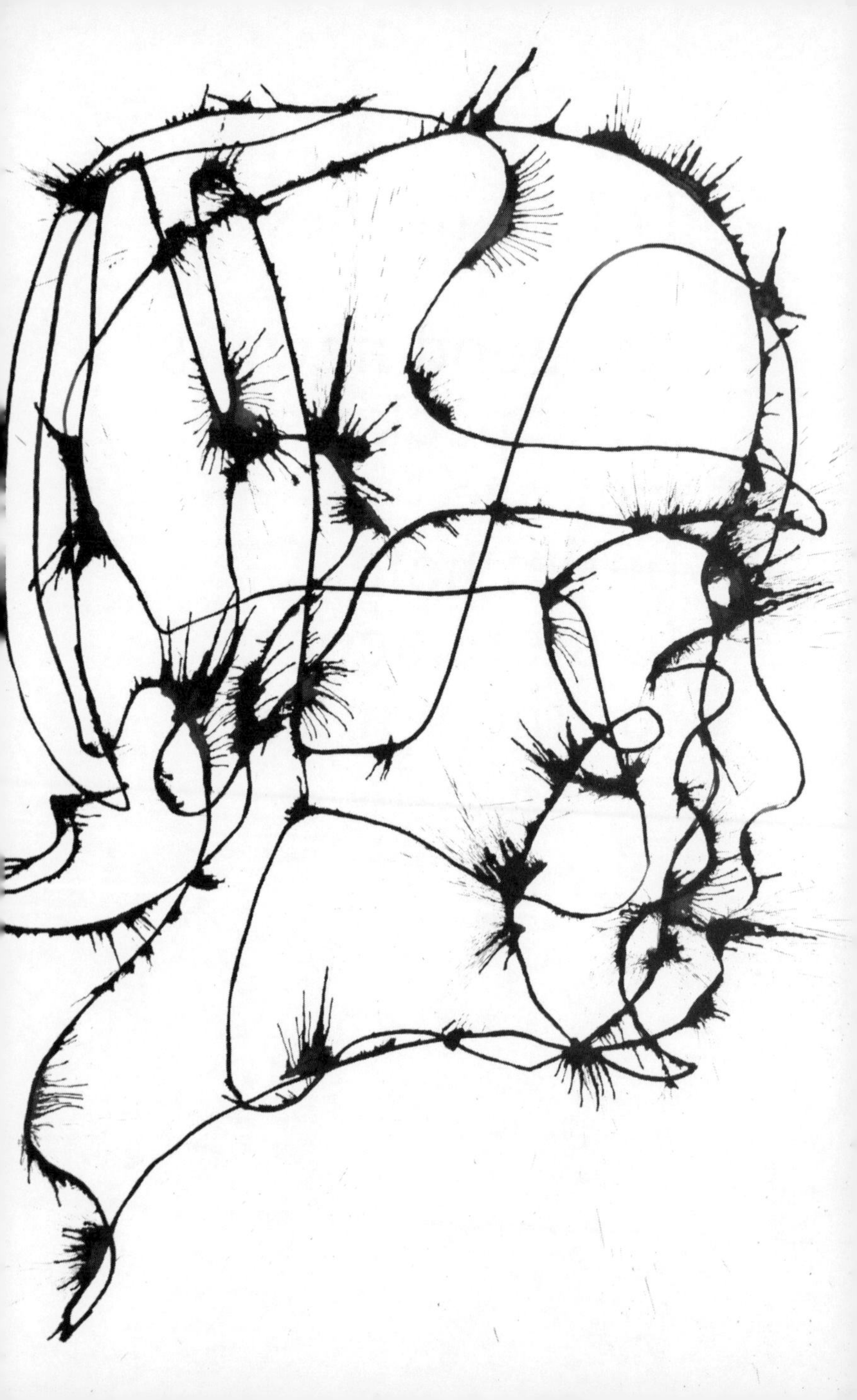

GENESIS PLACE

2

Death

人や自然が死ぬこと

holowa ——（誰かを）怖がらせる、（場所、人に）取り憑く
Hollowit —— 白人、ヨーロッパ系アメリカ人の外国人、白い人
phōh —— 火

パァスケンティに行くには近くの町からでも車で30分ほどかかる。今はその辺りには、放牧された牛がいたり、所々にナッツやフルーツの農場や潰れそうな納屋が建っている。僕たち部族の創造神話の舞台となる聖なる山に行く前に、僕はほぼ毎回、小さな小学校の前を通り、北へと砂利道を車を走らせ、部族の人たちが強制収容されていた収容所があった場所を訪れる。

ノムラキ・インディアン駐屯地はカリフォルニア・ゴールドラッシュの全盛期だった1854年から1863年ここにあった。北カリフォルニアに押し寄せるヨーロッパ系移民や鉱山で働く者たちが土地を手に入れるため、生き残ったインディアンたちを追い出し、隔離するためにつくられた。コーディーと初めて一緒に部族の土地を訪れたときに彼がこの場所について話してくれたことは、あまりに印象的だった。僕がそれまでこの国について学んだことに対する考え方がすべて変わってしまった。その日、僕たちは刺鉄線が張られたフェンス越しに緑の丘を眺めながら古いドングリの木の側に立ち、コーディーは僕たちが今立っている場所について話してくれた。

この場所が閉鎖される前、ここにはアメリカ軍の看守が銃を構えて立つラインがあった。収容されていたインディアンたちがそのラインを越えて外に逃げようとすると、皆銃で撃たれて殺された。収容所の環境はひどく、生きていくのがとても難しかった。捕虜になったインディアンは、自分た

ちの主な食料であったドングリの木を自分たちの手で切り倒すことを強いられ、代わりに小麦を植えさせられたため、今ではこの辺りにはドングリの木が少ない。収容所で彼らに与えられたものは小麦と政府が配給する質の悪い牛肉で、どちらも僕ら部族の人たちがそれまで食べたことのないものだった。何千年もの間、この土地で採れる食料を食べてきた彼らは、外国から持ち込まれた粗末な食べ物をうまく消化できず、結果的に体調を崩し、持ち込まれた疫病等にかかりやすくなってしまった。多くのヨーロッパ系移民たちはインディアンの人々を動物以下の生き物として考えていたため、こういった扱いをされていたことも驚きではない。今僕たちが立っているこの静かな丘が連なる場所にあった収容所では、インディアンに対するレイプや、暴行、殺人や飢え死にといったことは日常茶飯事だった。ゴールドラッシュが終わり、その跡地を使うために収容所も閉鎖された。その時点で生き残っていたインディアンたちはグループにまとめられ、この場所から西へ山を越えて110キロほど離れたラウンドバレー・リザベーションへと歩かされた。周辺の他の部族たちも同じようにリザベーションへ連れていかれた。自分たちの歴史が続いてきた、もう戻ることはないであろうこの場所を背に、インディアンたちは馬に乗ったアメリカ軍兵士たちによって強制的に歩かされた。リザベーションに続く道では、グループの歩くスピードについていけないお年寄り、女性、子供、病人たちはそれだけで、その場で処刑された。母親が自分の赤子を泣き止ませることができないと、その子は目の前で殺された。母親が少しでも反抗したり、歩かなければ、彼女もまた殺された。銃弾を節約するために、兵士たちは銃剣を使ったり、赤子を石や木に叩きつけて殺した。弱って歩けなくなったインディアンたちも同じようにして殺された。数年間こうした強制移動が続き、このエリアにいたほぼすべての先住民たちは死んでしまったか、アメリカ人家庭の奴隷として働かされたか、そのリザベーションへと移された。部族の中にはこうした残虐行為にまつわる話が、今でも受け継がれている。

ハゲタカがゆっくりと空を旋回し、丘を抜けるそよ風の中で野生のイモの紫の花がお辞儀をするように揺れていて、僕たちを囲む景色はとても穏やかだった。でも、その景色には明らかに僕たち以外の人間の存在が欠如しているという事実があることが、急に頭から離れなくなった。なぜ学校の教科書や地域の博物館でインディアンたちの歴史が語られていないのか、そのときやっと理解した。ナチスのユダヤ人虐殺のページでは惨事を救った英雄として登場するアメリカも、自国の歴史を知られることで、ユダヤ人を虐殺した悪者とあまり変わらないことが子供たちにバレてしまうからだ。子供の頃から、僕が生まれ育った土地に何か特別な歴史があるのだろうとは思っていたけれど、まさかこの故郷でホロコーストと同じことが起こっていたとは想像もしなかった。それは僕の故郷だけではなく、アメリカ全土で「町」として存在する場所はすべて、あらゆる残酷な方法でインディアンたちが追い出された場所ということだ。犠牲になったインディアンたちの数と、この事実がどれぐらい隠蔽されているかは考えただけで吐き気がするぐらい想像を絶する。5歳から18歳の間に学校で教えられたことや、翻る星条旗をハゲタカが見つめているピカピカした表紙の歴史の教科書の記憶が蘇ってきた。それらが「自由」を意味する。本来僕らの死を意味するこの国の国旗に忠誠を誓うことがアメリカが象徴する「自由」なのだ。その後の歴史の隠蔽はインディアン殺しそのものと同じぐらい長い間、組織的に行われた。そして僕は、意図的であれ無意識であれ、それに加担した者全員に軽蔑の念を抱くようになった。

'elp'ayuwil díplih —— 死体を火葬すること。

この国の本当の歴史を知ってから、インディアンが国の中で最も人口が少ない人種であるにもかかわらず、なぜ自殺率が一番高いのかが見えてきた。なぜ、メディアでインディアンが取り上げられる際には必ず、貧困、アルコール中毒、うつ病、といった言葉が付きまとうのかという理由も理解できるようになってきた。未だかつて僕らのコミュニティが健康的で活気に満ちているという報道は聞いたことがない。僕自身も、インディアンのステレオタイプと言える症状を感じていたし、またステレオタイプと取られる手段でそれを抑えようとしていた。小さい頃からずっとやってきたように、僕は大概の自分の重い気持ちを内側に閉じ込める手段を身につけていた。誰かを責めたい気持ちでいっぱいだったけど、一体誰を責めればいいのかもわからなかった。多分その頃は、僕の内側の葛藤とは裏腹に、この場所で何が起こったのかについて無知な、道ですれ違う人達の普通の笑顔に嫌悪感を覚えていたのかもしれない。あるいはこの国の成り立ちやインディアンの悲惨な歴史について考えたことの無いような人たちが、この国の「モラル」についてテレビで白熱した論争をしていることに向けての怒りだったのかもしれない。その論争のどちら側の視点も結局のところ、アメリカの大地そのものや、そこが、何千年も時間をかけて誰かが手入れをしていたものだから盗む価値のある場所だったことについては一切触れることもなく、外国から持ち込んだ政策についてああだこうだと言っているのを見て、僕らインディアンの存在自体がまるでこの国とっては目に見えない亡霊のような気がした。こうした侮辱は果てしなく続き、そののしかかる重みで僕は自分の頭の中から逃げ出したくて仕方なかった。僕らの生活が映画のように完全にシナリオ立てされていることは誰も気づかない。僕はみんなのようにその映画の登場人物の一人にはなりたくなかった。それでも現実から逃れたいと思う一方で、僕の先祖たちが経験した苦しみを考えると、自分の辛さなど比べものにならないと思い、僕にはこの心の苦しみから逃れる資格なんかないとさえ思ったこともあった。彼らの背負ってきた重荷を僕も背負い生きていくことが僕にできるせめてものことだと。でも次第にそもそも僕がこの間違った考え方に囚われること自体が、すべての先住民たちを虐殺しようと企んだこの国の計画通りではないか、と考えるようになった。虐殺が終わった後も、その意図は僕たちの文化と自尊心を奪うという手段で存続してきた。その事実を考えると腹が立つから、生きることを選びたくなる。たとえどんなに惨めな人生であっても、生きて奴らが間違っていることを証明したかった。でもこうした憤りを生きることの糧にしてはいけないし、結局、いずれ燃料切れするか、この魂が宿っている柔らかなからだを蝕むことになる。

all I want

a small quiet place

to burn money

to melt plastic

to peel skin

to scream

to be an Indian.

「ほしいのはこれだけ」

小さくて静かなところ。

お金を燃やし

プラスチックを溶かし

肌をはがし

叫び

インディアンでいられるところ。

APR • 70

ĪN BŌDA.
I'M STILL HERE

WINTUN C'EWEH
T'IPNADA
I KNOW INDIAN
LANGUAGE.

ĪN BŌDA.
ĪN BŌDA.
ĪN BŌDA.
ĪN BŌDA

歴史の中で築かれた祖先の記憶

コーディー・パタ

私たち部族の集合意識の奥底深くに埋もれているものは、はっきりと思い出すことができないかもしれないが、それでも確かに存在し続けている薄暗い過去の記憶。この記憶が曖昧であるゆえ、私たちが受け継ぐ一部の思想や考えがあたかも先天的で、不可解なものであるかのように見られてしまうこともある。今日、私たちを取り巻く世界は威圧的で敵意に満ちているかのようだ。常にこのような状況だったのだろうか。

ヴィンセント・E・ガイガーは1857年から1860年までノムラキ・インディアン保留地でアメリカ連邦政府から配置される先住民管理官を務めていた。ヴァージニア州生まれのガイガーは、典型的なアメリカ南部の連邦政府離脱支持派であり、奴隷制賛成派の考えを持っていた。任期中の彼の虐待行為や汚職については後から明らかになる。

ガイガーとその同僚であったG・E・タイタスは、家畜飼育、農作業や家事などに使用するとして、4歳から25歳の72名のノムラキ族の子供や若者を合法的に年季契約の奉公人として取ったことが文書に残されている(1861年2月4日発行、サクラメント・デイリー・ユニオン新聞)。この72名のノムラキ族のうち、63名は18歳以下であった。この時期にサクラメント・デイリー・ユニオンに宛てられた寄稿文には、ガイガーが先住民管理官として政府から給与を受け取っていた期間にもかかわらず、彼とタイタスが非人道的かつ奴隷制度的手段で、自分たちの私腹を肥やすためにノムラキ保留地を使っていたことを痛烈に批判する世論が明記されている。

当時の法律では、子供を年季奉公人にするには、親の了承を得る、またはその子供に親がいないことを証明しなければならなかったが、子供を周旋する手段にはよく暴力と圧力が用いられた。２００２年、Ｊ・Ｌ・バートン上院議員宛に送られた「カリフォルニアのインディアンに関連する初期のカリフォルニア州の法律と政策」と題されたレポートに、キンバリー・ジョンストン・ドッズ（カリフォルニア・インディアンの歴史と法律に関する学者、研究者、作家）は、ガイガーやタイタスの時代の年季奉公人契約に関する法律を詳しく説明している。

「１８６０年の法改正によって、14歳以下の男性インディアンは25歳になるまで、また14歳以下の女性インディアンは21歳になるまで奉公人契約の対象となった。また14歳から20歳未満の男性インディアンの場合は30歳まで、女性は25歳までが契約の対象となる。20歳以上のインディアンに関しては、10年の延長契約も可能であった。州政府が資金を投じて行われた10年間の対インディアンの遠征によって、多くのインディアンの子供たちは孤児であった」

ガイガーとタイタスが一体どうやって好都合にもこれだけたくさんの孤児を見つけた、もしくは子供たちの合法な奉公人契約の承認を得られたのか、今となっては想像するしかない。特にガイガーの先住民管理人としての仕事は保留地のインディアンたちの健康管理、保護、厚生であったことも考えると不可解だ（ガイガーたちは孤児の親を殺したのではないか）。何名かの奉公人は長い奉仕期間を生き延びたが、その後もその経験を胸に抱えて生きなければいけなかった。そして、1892年以降、再び歴史が繰り返されることになり、痛々しいほどにその記憶が蘇った。法律を口実に、またしても暴力と圧力が使われ、次は奉公人として仕えたインディアンたちの子供や孫たちが集められ、家族から引き離され、カリフォルニア初のインディアンの寄宿学校に無理やり入れられた。こうした寄宿学校の策案はリチャード・ヘンリー・プラットによってつくられたもので、その方針は彼の信念によって支配されていた。「死んでいるインディアンこそが良きインディアンだと偉大な大将が言った。ある意味、私もこの意見に同調する。但し私は人類の中に存在するインディアン性はすべて死ぬべきだと思う。人間の中のインディアン性を殺し、彼らを救うのだ」（historymatters.gmu.edu より）。

私たちインディアンの比較的最近の歴史の中で起こった、こうした搾取行為について学ぶと、なぜ、私たちの先祖が古くから重んじていた信頼という概念は猜疑心へと変わり、身を守るための用心が防衛以上の危機感となり、和を象徴するコミュニティという概念が極端な個人主義と化してしまったのかが明らかである。それは私たちの先祖が自分たちを守るために必要とした適応手段の一部であったのだ。

（記事は途中で終わる）

＊　＊　＊

kiakca——木や家など、物に火をつける、または物を意図的に燃やすこと。（他動詞）放火を犯すこと。

部族の月刊ニュースレターに使われるはずだったこの記事は、この上ない皮肉ともいえる部族内の政争によって、書き終えられることはなかった。そもそも僕たち家族が政府の認可を得るのに努力を尽くしたのに、結果的に僕ら一族が一人残らず除籍されてしまった。アメリカ連邦政府にインディアンの部族として認可を受けるには、血筋を証明する書類と申請書類の準備に気が遠くなるほどの長いプロセスを経る必要があり、僕の伯父伯母、従兄、支援してくれていた同じ部族の他の家族が力を合わせて１９９４年にようやくその申請が完了した。この政府の認可によってカリフォルニアのインディアンたちが得られる特権のひとつとして、僕らはカジノを建設する権利を得た。投資家を探し、建設計画のための更なる長いプロセスを経て、ノムラカ族の伝統的な土地の上に通るフリーウェイの横に、僕ら部族のカジノは建設された。いつも部族の議会でカジノ経営について議決するときには、目に見えて意見対立の緊張が張り詰めていた。月々の配当の小切手の金額を上げることよりも、長期的な経営持続のためにカジノの売り上げ金の運用や事業の多角化を目標としていた僕たち家族に、部族の半数以上は反対していたからだ。メンバーが３００人以下の小規模な僕たちの部族は、基本的に３つのグループに分裂していた。手っ取り早く儲けるよりも、未来のための投資（子供たちの大学進学資金、部族の病院の建設、カジノ以外の長期的に持続可能なビジネスなど）を希望する人たち、毎月の小切手の金額を上げることが最優先の人たち、そしてどちらかの側にも言いくるめられてしまう人たち。それはまさにアメリカの縮図だった。そしてこの国で起こることと同じように、互いにどちらが正しいかを言い争っている間に、企業はそのエンターテインメントを見ながら、大衆からどのようにお金を儲けるかを勘定している。

hiyunā——自分に火をつけること。

僕らの場合、この部族間の政治問題から利益を得る機会をつかんだのは法律事務所だった。ここ最近、こうしたインディアンに関わるケースは彼らの得意分野となっている。腹いせを理由に、反対派のメンバーは裏で弁護士と密会し、自分たちの分配金の月額を増やすため、僕ら家族の部族選挙への影響力を奪うため、そして部族議会の上層部にいた僕の伯父伯母、従兄らを破産に追い込むために、僕ら一族全員の除籍を最終目的として、強引な政変と力ずくのカジノ略奪を企てていた。そして彼らの計画は見事に成功した。彼らの分捕り作戦のプロパカンダは大多数の部族のメンバーの心を勝ち取った。そして、そこからはじまった法定手続きが長引くことによって、反対派である部族の財政から弁護料を搾り取るという弁護士たちの作戦も成功した。２０１４年の初旬に開かれた部族の年次会議の最中に、僕の家族は突然、反対派が送り込んだ武装したガードマンに会場から追い出された。違法的に部族を乗っ取った反対派のメンバーは地元のニュースなどで、僕の家族に横領や汚職の濡れ衣を着せ、僕らがノムラカ族の血を引いていないと主張したり、年配の親戚たち宛てに脅迫状を送りつけてくるのを側で見ているのは、ネイティブ・アメリカンとして非常に辛く、恥ずかしくもあった。彼らの卑怯なやり方は、先祖たちが象徴していたこととは真逆の行為で、彼らの主張はただただその無知を周りに晒すだけだった。僕の家族や部族議会の委員たちは、メディアに部族の政争や僕の家族が犯罪者のように取り上げられるストレスに加えて、ノムラカ族の言語のプログラムや部族の土地を買い戻して文化を学ぶクラスをつくるといった将来的なプランが台無しになってしまったことに、怒りを覚えた。もし反対派の人たちが部族の言語を使えて、きちんと文化を学んでいれば、こんなことにはならなかっただろう。彼らは、自らが何千人もの僕らの先祖を虐殺と奴隷化に追い込んだ植民地主義の精神を体現していることに何の恥もなかった。そして無知とステレオタイプに身を包み、町を闊歩した。伝統や文化よりもお金に目が眩んで自分たちの家族に刃を向けてしまうという、インディアンたちが苦しみ通した歴史のトラウマがいかに現在の僕たちの心までをも蝕み続けているかを示す最たる例となった。大いなる自然に取って代わりお金が新たな宗教となり、植民者たちと同様に、僕たちは、自然に与える害などまったく考えず強引に資源を搾取する、まるでレイプ犯とも言える態度を取るようになった。でも紙でできたお金やこうした人間関係は、すべては燃える。

prayer

tear them
to the ground
the liars
uncover them
tear them
to the ground.

「祈り」

地まで
やつらを打ち砕かん
偽る者たちは
暴かれる
地まで
やつらを打ち砕かん

On Fire

僕の曽祖父は、伝統的な手法で野焼きをしていた最後のインディアンの一人だ。部族での役割は何世代にも渡って受け継がれるが、曾祖父もノムラカ族の古くから続く火起こしの継承者の一人だった。

僕らの伝統的な野焼きは生態系全体にバランスをもたらすために行われていた。地の上は、高く伸びる松や樫の木の害虫や寄生虫の卵を駆除し、地の下は菌や苔、微生物が住む森の土に栄養を与え、果ては地面から深く行き渡る地下水の流れを安定させる。ノムラカ領域内の山頂を水源とする川は、いずれ南のオロネ族の領域であるサンフランシスコ・ベイエリアまで流れ着き、太平洋へと抜けていく。月の引力が潮の満ち引きに影響するように、定期的な野焼きは月の動きを見ながら、植物の水分含量が最も高い時期に行われる。植物の水分量が高いことや自然界に存在する周期に準ずることは、野焼きの火が広がりすぎるのを防ぎながらきちんと生態系を守るための大切な行為だった。１９３０年にカリフォルニアでこうした野焼きが違法化されてしまうまで、僕の曽祖父は、部族の土地で最後まで伝統的な野焼きをやっていた一人だった。

パラダイス・カリフォルニア州　山火事「キャンプファイア」
２０１８年11月８日
死亡者：85名
焼失面積：６２０㎢（１５３３３５エーカー）
焼失した建設物の数：１８８００棟（うち１４０００戸は家屋）
（データは米国公共放送局調べ）

phōha ―― 火で燃えること。

２０１８年11月８日、僕の故郷であるカリフォルニア州のパラダイスという町がカリフォルニア史上最大の山火事で完全に焼けてなくなった。急速に広まる火から逃げきれず85人が亡くなり、森の中にあるこの町と近隣の町から約５万人が避難を余儀なくされた。その日お母さんから「パラダイスが焼けた」とメールがきたとき、京都は夜で、僕はちょうど家で自分の33歳の誕生日を祝っていた。最近では山火事は珍しいことではなかったから、翌朝そのことが国際的なニュースになっているのを知るまで、そのメールの一文からは事態の大きさに気づかなかった。

火から逃げようとする人たちが撮った写真やビデオをネットで見ていた。何もかも元の状態がわからなくなっていた。煙で真っ黒な空に囲まれ周りも見えない火の壁の中を車で逃げる人たちが、車中で命を請いながら祈っている声。町の外に出るための３本しかない道のうちの１本では、何千人もの人が逃げようとする渋滞に巻き込まれたスクールバスの子供たちが、Tシャツを割いて濡らしたものを即席のマスクとして使っていた。僕のお母さんは幸いにも、早く火事に気づいて逃げられたので立ち往生せずに済んだけど、その日の夜には、彼女の長く務めた病院、僕らの家、ペットと住み慣れた町の全部を失った。30年間の思い出が4時間で消え去った。僕は日本でその火事が残した傷跡を見ていた。

伝統的な知恵と文化を授かったノムラカ族の一人として、燃えていくカリフォルニアを見るのは、骨にまで響く痛みだった。山火事で炭と化してしまったエルダーベリーの枝からできたといわれる僕の骨。人間の苦しみだけではなく、人間よりも前から地球上にいる森の生き物、動物や植物たちの死滅もその痛みの理由だ。あの大地は僕たちに命を与え、あの場所の調和をつくること、そこを守るという役目を与えてくれていた。でも伝統的な野焼きが法的に禁止されてから、僕たちの部族はこの神聖な役割を果たせずにいたのだ。

phōn qunkubema —— 火で囲むこと。

ヨーロッパから最初の開拓者たちが金鉱を求めてカリフォルニアにきたとき、ここを「地球上の天国」と呼んだという記録が残っている。彼らが言及した青々とした自然の美しさは、先住民たちが野焼きなどの伝統的な方法で何千年もの時間をかけて守ってきた努力の賜物だ。彼らの毎日の生活がこの場所を美しくすることに捧げられていたため、初めてここを訪れた人々はこの場所が「天国」だと思うほどだった。でも人間には、様々なエナジーを使って地球上に天なる調和をもたらすことができる力が備わっているとともに、与えられた役割を忘れ、すべてを地獄に変えるという真逆の力も持っている。そして、信じられないくらい短い間に、僕たちはまさにそれをしてしまった。何千年もの先住民たちの労力と努力、多くの人間の命、数えきれないほどの木や動物たちが、一瞬にして灰になった。

カリフォルニアに侵略し、この場所を目で見て「地球上の天国」だと呼ぶ一方で、その美しさをつくりだした、そこに住むインディアンたちを野蛮な動物だとした開拓者のことを僕はよく考える。この「天国」を自分たちのものにしたいという理由だけで、彼らはインディアンを狩り殺し、土地から追い出し、その伝統文化や土地を守るための習慣を禁じた。この終わりを知らない無知がインディアンの故郷に及ぼしてきた問題の重大さは、その土地から追い出された者が安易に許せることではない。また、伝統的な先住民の習わしは、開拓者、移民の子孫たちだけでなく、同化してしまったインディアンの子孫からも何世代もの間ないがしろにされてきた。高学歴の科学者、医者、政治家、そして一般労働階級者たち全員に。こうした災害が起こっても、僕たちは自分たちを責めたり、自らの行いを省みることをせず、まるで自分たちは罪のない犠牲者なんだと思うように訓練されてきた。

パラダイスで起こった山火事の場合、責任の矛先は、取り替えられるべき古い電線をずっと使っていた米国の電力会社PG&Eに向けられた。トランプ大統領は、火事の跡地を訪れ、「パラダイス」を誤って「プレジャー」と呼んだあげく、町の人たちが庭の落ち葉かきをきちんとしていなかったことを非難した。彼の頭の中では、地球温暖化や、政府や企業の不正よりも、週末にやるような家事が山火事の最大の原因だった。壊れた電線よりも、庭の枯葉の山よりも、僕たち一人一人と、こうして危機に陥ってしまっているこの大地との繋がりこそが疑問視されるべきだ。問題の原因はただの電力会社のずさんな管理体制よりも遥かに深いところにある。

防げたはずの山火事で地球上から町がごっそり消えてしまったり、漏れた放射能で海や大気が汚染されていく中、僕が感じるのは、恐れや非難の気持ちではなく、自分自身への深い恥だ。自然を破壊してでも人間は生きていけるというその幼稚な傲慢さと無知が僕の中にも存在していて、手遅れとわかるまでその破壊行為に加担する一人であることへの恥を感じる。こうした時代だからこそ「古い」ことが実は「新しい」ことなんだと気づかせてくれる。文化や言語を通して、先祖たちが僕らに受け渡してくれた知恵は、彼らが自然、地球、そして宇宙から授かったものなのだとはっきりとわかる。言い訳をして部族の文化や言葉の勉強を後回しにする自分は、本物が横にあると知りながら、きれいなパッケージに包まれたまがい物を選ぶ自分と同じだ。

k'eli ―― 火が消えた後に残る黒い炭。(名詞)

ノムラカ語で、森に生える草木の茂みや成長しすぎた草木を「視覚を遮るもの」という意味で「baqi」と呼ぶ。最初の開拓者たちがカリフォルニアの地に足を踏み入れた頃は、まだ伝統的な方法でそうした草木の茂みはきちんと手入れされていたため、彼らは難なく金鉱石を探して歩けた。

ノムラカ族の人間として僕は、部族の土地を自分の一部として見ずにはいられない。この土地に不調和があるということは、僕自身にも同じことが起こっているということだ。人間がきちんと自然を手入れしなかったゆえに町が完全に消失してしまうなら、僕も内側のバランスを妨げている心と精神の「baqi」も見つけ出し、燃やさないといけない。僕たち部族の伝統的な野焼きは、すべての動植物を燃やしてしまわないように、月齢とそれに作用される植物の水分量を念頭に行われる。パラダイスの山火事がどんなに壊滅的であっても、今再び森の地面が真っ新になったことは確かだ。

今、ここは静かだ。

沈んでいく太陽に向かって

and flowers all bow to the
of birds and wind.

草と花はみな頭を下げている。

鳥と風の音しかない。

it is quiet here now. the grass
setting sun. only the sounds

I AM A BIRD

MAKING MY NEST

STRONG AS POSSIBLE

FROM TWIGS AND PLASTIC.

PROTECT WHAT

YOU ARE GIVEN.

EVEN THE SMALLEST

OF HOPES

IS STILL

HOPE INFINITE.

2016年に京都に引っ越してきたときは気づいていなかったけど、アメリカから離れてみてわかったことは、僕の今の行いのすべては、故郷への回帰のためだということ。アメリカの歴史の中で最も大きな過ちは、インディアンたちをその場所から排除したことだ。開拓者たちはその場所の生態系に必要不可欠な部分を取ってしまった。そしてまったく同じ過ちがパラダイスの火事を引き起こした。すべてが一体となっている自然のシステムの一部分を切り取ったり、蔑ろにしても、物事はうまく運ぶと信じ込んでいること。それはどう考えても無理なんだ。だから、インディアンたちをその土地から排除したことが誤りなのであれば、論理的に考えて僕らがその場所に戻ることが解決策であるはずだ。僕らの部族においては、自ら手放してしまったけれど、植民地化とアメリカへの同化政策の結果、失われた文化や言語は、生き残るためだけではなく、自分たちを取り戻すための希望の道しるべだ。カリフォルニアが燃えて、部族が崩壊していく中、僕は重すぎる過去を手放して、授かったノムラカ族の証にしっかりと掴まらざるを得ない。

sisēl —— 山火事が鎮火されること。(状態動詞)

パラダイスの焼失は、あれから僕の内側で起こったことを象徴している。1年以上経ち、故郷の黒く焦げた木々を思いながら、京都の川のほとりの満開の桜の木の下でこの文章を書いている。空気中でひらひらと舞う柔らかな白い花びらは落ちていく灰を思わせる。僕の人生の半分の思い出がつまった場所、お母さんと猫たちの家、僕の古い作品、その全部が灰と化した故郷のことを考える。

繊細な花びらがひとつ、ノートに落ちてきて、また風で飛ばされていった。自然が示す「この世のすべては恒ならず」という真実を受け入れることで、再生に必要な内側のスペースが生まれる。

火事の後、お母さんは新しい町で新しい家を見つけて、僕はこの文章を書いた。だから僕もいつか灰になる日がくるまで、「今」を表現するのみだと思う。この思いは僕から「今日」に宛てた手紙。

ʻolqolcunā ―― 自分に水をかけること。

「家」

3年前に自分達で建てた「qēl」は今も立っている。
僕にとってこの家は、僕たちがずっといた場所を象徴するもの。

僕はここに一人で立って、それを見つめている。
一度はみんなが一緒に立っていた
この場所に。
この世界の精神性と調和を保ちながら
互いに思いあうこの地の人々を
守った場所。

これが僕たちが最も守り抜き、
育みたいこと。

昔から
僕たちの草でできた家は周期的に燃やされ
建て直されていた。

この廃墟から
また新たな家が建てられる
その強さを授かりますように。

house

This qēl we built 3 years ago still stands.
For me, this house represents where we have always been.

I look at it standing here alone
in a place where many of them once stood
together
sheltering a community of people
who cared for each other
while maintaining a spiritual union with this world.

This is what we
ultimately want to
protect and grow.
Traditionally

our grass houses
were cyclically burned to the ground
and then rebuilt.

I ask for the strength to
rebuild a new house
from these ruins.

HEALT
LIVE IT NOW
DIAN.

「お墓」

私たちは死んだ者たちを
胎児の形にして
地球に戻していた。

それを想像することは
眠る愛するひとの
まつげを見つめるような
やさしい気持ち。

grave
we used to bury our people
into the fetal position
returning the body
to the earth.
imagining this
it is a soft feeling
like watching
a loved one's eyelashes
as they sleep.

GENESIS PLACE

3

Rebirth

自然や心の中の再生をすること

雨あがり
またヒソヒソと話がはじまる
さっきよりはっきりとした声で

after the rainfall
talks begin to stir again
with a clearer voice

アン（カメ）とキキーク（鳩）の話

ほんの少数のものが世界的な大洪水の後生き残った。

生き残ったものの中にカメがいた。

洪水の水がおさまると同時に、水が渦巻くところでトゥーリ（水辺に生える背の高い植物）が寄せ集まり、自然と筏（いかだ）のようなものができた。カメは日を浴びて、温まろうとトゥーリの筏によじ上った。筏の上で流れているうちに、カメは自分の頭の上で何かが飛んでいる羽の音を聞いた。見上げると鳩が上を旋回していた。彼女はカメにこう聞いた。「すみません、カメさん、私もあなたの筏にとまっても良いですか？」カメは「悪いね、君がとまれる場所の余裕がないよ。東に行ってとまる場所があるか探してみたら？」と言った。

鳩は東の地平線の果てまで飛んだ。しかしとまれるような場所が見つからず、またカメがいるところまで戻ってきた。そしてカメに言った「東の果てまで行ってみたけれど、ずっと先まで水しかありませんでした。あなたの筏にとまれませんか？」

「見ればわかると思うけど、ここには君がとまれるような広さがないんだよ。南に一度いって、とまれる場所があるか探してみなよ」とカメは答えた。

鳩は南を目指して飛んで行った。

しかし南にもとまれそうな場所がないことがわかり、鳩はまたカメの元に舞い戻り、上空を旋回した。「南にも行ってみましたが、やはり場所は見つかりませんでした。あなたの筏にとまらせてくれたら、どんなに嬉しいことか。」

カメはまたこう返した「何度も言うけれど、君がとまれるようなスペースはないよ。僕たち2匹にはとても狭すぎる。次は西のほうに行ってくるといいよ」。

鳩はとても疲れていたけれど、また西の果てまで飛んで行った。けれど、やはり見渡す限り水ばかりだった。またなんとかカメがいる所までの長い飛行を終え、カメの上を旋回しながらこう言った「西にもとまれそうな場所はありませんでした。私の翼はとても疲れてしまいました。なんとかあなたの筏の上にとまれませんか?」

カメは「さっきも言ったけれど、ここには2匹がとまれるような余裕がないんだよ!」と言った。鳩はカメの上を回り続け、カメの甲羅を見ていた。そしてカメに聞いた。「カメさん、あなたは素晴らしく大きくて、強そうな甲羅をお持ちですね。しっぽを甲羅の中に入れることはできるんですか?」カメはしばらく考えて、しっぽを甲羅の中に入れられるか動かしてみると、すっぽりと入った。鳩はこう続けた。「後ろ足はどうですか? 後ろ足もあなたのその美しい甲羅に入ると思いますか?」カメは小さな筏の上で慎重に体を動かし、後ろ足を甲羅の中に入れた。鳩はさらにこう呼びかけた「その強そうな前足はどうですか? 前足も甲羅に収めることができますか?」カメはゆっくりと前足を甲羅の中に引き入れた。彼は自分の足が甲羅の中にすっぽり入ったのを見て嬉しかった。まだ旋回し続ける鳩は、カメをその気にさせるために続けた。「あなたのハンサムな頭！　その頭も甲羅に入ったりしますか？」カメは首をすくめ、頭も甲羅に入れた。「どうでしょう？2匹とまるスペースがあるじゃないですか。これなら私もとまっていいですか？」と鳩は言った。

カメは甲羅の隙間から答えた「わかった、僕の筏にとまってもいいだろう」。鳩は筏に降り立ち、遂に翼を休めた。2匹は大洪水の後の水に流されながら、トゥーリの筏の上で何日も一緒に過ごした。一日のうちの気温が暑くなる時間、カメは冷たい泥をもとめて、筏を離れ水の中に入っていった。彼は泥を爪でひっかきながら、水中を歩き回った。水に浮かぶ筏の上で、鳩は降り注ぐ日を浴びて喜んだ。筏がとても小さかったので、彼女は翼を片方ずつ広げ、両方が温かくなるまで、日光浴をした。

カメと鳩はこうして何年も一緒に時間を過ごした。あまりに長い時間一緒にいたので、そのうち2匹は恋に落ちた。2匹の結婚の印として、鳩は筏から1本のトゥーリを抜き出し、片方の端を自分の首に巻き付け、もう片方をカメの首に巻いた。夜は2匹で幸せそうに寄り添って過ごした。

ある朝、日が昇りだんだんと暖かくなりはじめた頃、カメはいつものように水の中で涼もうと飛び込んだ。しかし、トゥーリが2匹の首に巻かれていたため、鳩も一緒に水の中に引き込まれてしまった。鳩はバタバタと翼を動かし、なんとか筏の上に登ることができた。カメは水中を歩きながらトゥーリを引っぱり続け、鳩も筏から落ちないように引っぱり返した。2匹は来る日も来る日もこのように過ごした。この2匹をつなぐトゥーリのおかげで、鳩には今でも首の周りに印が残っていて、カメの首は長く伸びている。

2匹はそんなふうに一緒に過ごした。鳩は日中、日光浴をし、カメは泥の中に入っていく。日が沈んで、涼しい夜がくると、カメは筏に戻ってくる。筏の上にカメの足についていた泥が積み上がり、土の山ができはじめた。鳩は何年も水の上で暮らしていたので、また陸ができ上がるのを見て大変喜んだ。時間が経ち、トゥーリの筏の上の泥の山は次第に大きくなり、どんどん重くなるにつれ、ついに筏の底が水底についた。それは壮大な丘が水面から隆起した形になっていた。ノムラカ族はこの丘を「ワイクックチ（Waykukci）」と呼ぶ。

大洪水の水が南に向かって流れはじめ、水位が下がりはじめるとともに、たくさんの低い丘が水の下から地上に現れはじめた。この連なる丘の側面には長年カメが水の底で歩き回っていた「カメの引っ掻き傷＝チャアンカァヤヤアーヌン（C'an K'ayaya 'Anun）」が残っている。

堂々たるワイクックチの丘はカメの筏の上に集まった泥からでき上がった。水がひいてその丘の西側にはトゥーリが芽を出しはじめた。この場所をノムラカ族は「シュロップポム（Łop Pom）＝トゥーリの場所」と呼んでいる。大洪水の水が南へとひいていき、ワイクックチの周りにその残骸が集まった。残った水は谷と谷の間に広がる湿地帯に流れていった。鳩との長い結婚の後、カメはその中の小さな池へと戻っていった。ワイクックチの西側に今も残るその池を、ノムラカ族は「アーヌンサワル（'Anun Sawal）＝カメのわき水」と呼ぶ。

鳩はワイクックチの頂上に飛んで行き、辺りで拾ってきた流木を使って巣をつくり出した。彼女がワイクックチに持ち帰った木の中にエルダーベリーの木があり、その後、そこには立派なエルダーベリーの茂みができた。

So it is, and so it shall remain.——この通りである、そしてこうあり続ける。

bayā ――（狩り、治療のためや明かりとして）火を活用する、または道具として使うこと。

2018年3月11日　日本、京都 午後4時3分

頭の中がスッキリとした状態で朝遅くに目覚めた。昨日の夜、帰りが遅かったのに不思議だ。きっと水分をちゃんと摂ったからだ。まるで誰かの視点から見ているように、自分の頭で考えていることがはっきりと見えた。「大丈夫だ。」その後続けて「いや、でも……」を付け加えずに「大丈夫」と自分に向かって言えたのは、かなり久しぶりな気がする。その次に思ったのは、今日であの地震からちょうど7年経ったということだ。

今日はどこのカフェで書きものをしようか迷っていた。日曜だし、どこに行っても混んでいるだろうから、結局コーヒーをテイクアウトすることにした。辺りから聞こえてくる会話で頭のこの冴えを失わないように、周りに人が少なくなるぐらい遠く、北に向かって川沿いをしばらく歩いた。一本の木の横にいい場所を見つけて、今そこに座っている。僕の向かいのベンチには年配の女の人が一人で静かに座ってる。そして腿の上で握った両手を見下ろしている。最初はお祈りをしているのかなと思ったけど、どうやら自分の両手をじっくり観察しているみたいだ。もしかして自分の手の皺を見て、僕と同じことを考えているのかもしれない。あれから7年という歳月が経った……。

地震のことを書かなければと思ってしばらく経つ。でもそのことについて書こうと思って毎回ノートを開くけど、どうも納得のいく内容が書けずにいる。イライラした気持ちでこれまで何ペー

ジ破り捨てたことか。この島に対する僕の愛情を表現するのも難しいけど、ちょうど7年前に東京で感じた暗闇を再び感じながら、この島が破壊されていく様子について書かなければいけないのは、もっと難しい。でも日本は僕の人生に大きな影響を与えてくれたので、書かないわけにいかない。今日までその心の準備が整ってなかった気がする。物事をうまく進めるには、その人が直感的にお告げを察知できるかどうかによると思う。そして今日の僕の頭の冴えはそのお告げだと思う。

言葉がうまく出てこなかった理由は、出てくる言葉が、地震が起きた日と同じように混沌としていたからだ。すごく混乱していた。紙の上に書かれた言葉を見て、確かに自分の気持ちではあるけど、7年前を辿ったものだし、頭で思っていてもすごく古く感じる。あのときの思いを現在に蘇らせるのは不可能だ。良くも悪くも、実際に心で感じていないことを、さも感じているフリをするのは元々できないタチだから、過去の自分はもう眠らせた方が良いということなのだろうか。

あの地震の直後、はっきりとしたことがいくつかある。「そのうちに」と思っていたことがもう待てなくなった。地震が起きた日の夜、心の中で先祖に語りかけた。そして彼らの教えに気づくことができなかったことを謝った。その頃の僕は一般的な25歳の若者だった。地球の圧倒的な力強さを体で感じてからは、地球を素晴らしい生き物としてしか見れなくなったし、僕たち人間はその子供なんだとしか思わなくなった。ただ子供とは成長するものだから、いよいよ僕自身も成長するときを迎えたというわけだ。

僕の家系には、アメリカがまだ植民地化される随分前、僕らノムラカ族がこの大陸を「The Great Land（偉大なる場所）」と呼んでいた、本来のアメリカの歴史のはじまりにも含まれている。

一方で、僕は、比較的近年にアメリカに渡ってきた移民の中で、幸いにも、多くのアメリカ人が抱いている先住民に対しての人種差別という偏見を持っていなかった人たちの血も引いている。この国の歴史の両極端なルーツが僕の祖父母、父親と母親と僕の中でひとつになった。この2つの側面が僕の血の中に流れている。インディアンと移民、古いものと新しいもの。アーティストという仕事は、僕が自暴しないように、この2つが自分の中できちんと共存しているかを常に注意しておく必要がある。部族の文化を学びはじめてからは、政治的な観点からアメリカという国を見ることにどんどん重要性を感じなくなった。異国から持ち込まれたシステムではなく、その向こう側にある、土地を見守るという古来からの役目を取り上げられた僕ら部族の人々に息吹を吹き込んだ場所が必要だ。「アメリカ」という名前を超えて、自分と地球との繋がりに注目すると、僕にはアメリカの「自由」の定義は当てはまらない。僕たちが住んでいるシステムが持ち込まれる以前、僕らの部族の人々は本当の意味で自由だった。借金もなく、汚染もなく、そして何よりも心が自由であった。でもほぼすべての先住民たちと彼らの自由は、この故郷の土地から消し去られた。僕はアメリカには世界を牽引するリーダーとしての資格はないと思う。なぜならこの国が世界に与える以上に奪ったものが大きいから。偉大なリーダーたちは皆、無私無欲だ。この国は偉大な部族のリーダーたちの背中に空いた弾痕の上につくられている。そもそも僕たちの今の政府は、この国をつくった移民たちが持ち込んだ間違った理念が、ただ形を変えたに過ぎないから、この国が僕が本当に進みたい方向に導いてくれるとは到底思えない。

福島から空と海に向かって流れていく原発の汚染を見ていると、僕たちが推し進めている西洋の考え方の先は行き止まりでしかないことがわかる。僕の中に染み込んだアメリカの反骨精神も価値がないわけではないけど、まずは自分が反抗しているものが何なのか、その代りに何を支持するのかがクリアにならなければいけない。たった2世代前にアメリカが日本を破壊することを目的とした、あのテクノロジーを最初に作ったときから、僕たちは自然とその未来に反抗し続けてきたことが、その日わかった。そして僕たちはさらなる破壊へと続く道を歩き続けている。まるで僕の体と心を蝕む毒が広がっていく様子を写す鏡を見ているかのように、原子炉から昇る煙を見つめていた。アメリカが愛して止まない勇敢なパイオニア精神は、この地球とその自然のサイクルから逸れているのであれば、それはもう自殺行為だ。僕は、僕たちが地上に住めるように導いてくれている地球に感謝する。そして僕の先祖が、自分たちの文化を通して地球との約束を守ってきてくれたこと、またアメリカが世界に推し進めてきた人類の自滅的な生き方に変わる、永続的な生き方を示してくれていることに感謝する。

僕たちの地球上での役割についての知識は、全部教室の外で教わったから、授業のおさらいをしたいときはいつもこうして川にきて座る。僕の向かいのベンチにはもう誰もいない。どうやらあのおばさんは、僕が膝に置いたノートが風でパタパタするのを押さえながら、下向いてこの文章を書いている間に家に帰ったみたいだ。書こうと思えばもっと書けるけど、僕のこのテーマへの思いも、ペンのインクも、今日という日も、全部がちょうど終わりを迎えつつあるのも、理由があってのことだろう。まぁ今日は日曜だし。パンくずを撒ていた老人たちはとっくに帰った後で、忙しそうに食べものを探している鴨以外は、僕一人しかここにいない。太陽もあたりの桜の木をオレンジ色に照らしながら、山に近づいてきた。明日咲いても驚かないぐらい、桜の蕾には花びらがしっかりと詰まっている。また桜が一年間内側で密かに準備してきたものをお披露目するこの季節がやってきた。7年であれ、700万年であれ、僕らもまた生命の巡りの象徴のひとつとなれるよう頑張ろう。

そしてまた
丘が朝のひかりにつつまれ
この場所が目覚める。
僕たちは共にそこに立ち
宇宙とともに呼吸をする。

and again
this morning
this place awakens
with its hills covered in light.
we stand here together
breathing along with the universe.

ʻOlbulīn, ʻanī, mēm ʻolbuluro…

頬の上に、あぁ水が溢れ出す…

これは英雄トゥールチュヘイが登場するノムラカ族に伝わる話の中の一文。この一文は人間の涙が頬を伝う様子を描写しているけれど、ノムラカ語で「頬」を意味する言葉は「頂上」という意味もあるので、山の頂上の水源から下へと水が流れ、小川や大きな川がつくられるということも指している。体や言葉や心とそのものの根源とのこうした繋がりが、僕らの部族の言語や「円い」考え方の元となっている。空を仰いで上を向いている顔が地球で、高くそびえるたくさんの頬骨から涙が流れている姿が思い浮かぶ。

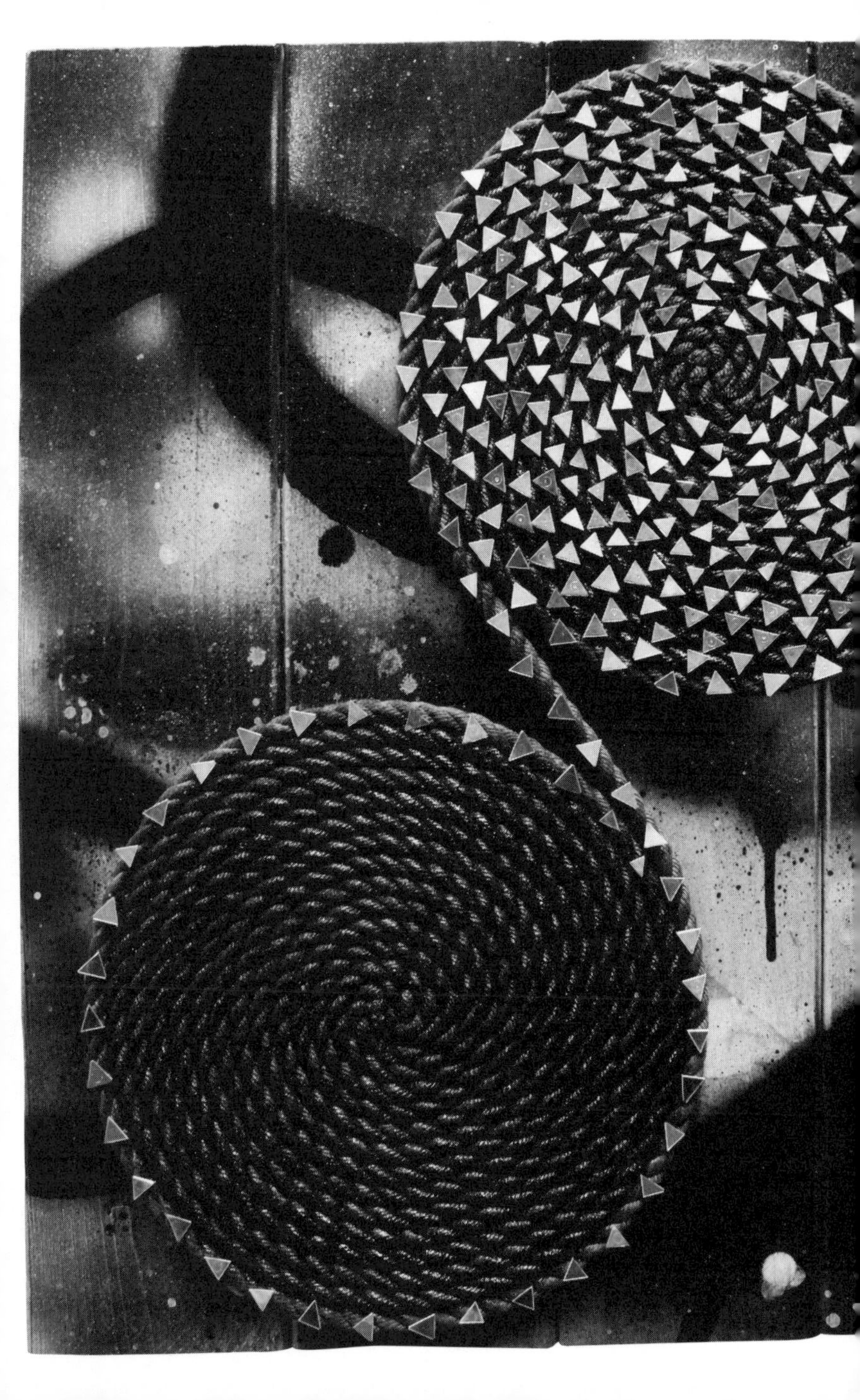

DR

gentle clos-
a door ing
owers of blood
the smell of life
pinning heart
sings.

「ドア」

そっと閉まるドア
血でできた花
生命のにおい
僕の回る心が歌う。

Do
the
of
the fl
MY s

CARRION

「ドア」

そっと閉まるドア
血でできた花
生命のにおい
僕の回る心が歌う。

DOOR

the gentle closing of a door
the flowers of blood
the smell of life
my spinning heart sings.

CORE OF THE EARTH

最近、大きなバッファローが頭から僕の胸を目がけて突進してきて、体当たりされ地面になぎ倒されるという夢を見た。怖さの中、また突進されると思って身構えた。ところがそのバッファローは後ずさりをし、肩と頭を下げ、また攻撃の体制を取るのかと思いきや、大人しくさらに体を低くし、後ろに乗れと僕に合図をした。僕は地面から体を起こし、バッファローに近づいてその背中にまたがった。すると彼は立ち上がり、遠くに見える大きな森のようなものを目指してゆっくりと歩きはじめた。その森に近づいていくと、そこに生えている木は僕が今までに見たことのないような大きさだということに気づいた。それは地球上最も古いレッドウッドの木なんかよりも何倍も大きかった。さらに近づいていくと、今度はその木々がすべて人間の形をしていることがわかった。皮膚は木の皮でできていて、体のところどころに枝や、葉っぱの束が生えている。その人間の木は、太陽に向かって両腕を頭の上に伸ばし、その手には片方ずつ何か球状のものを持っていて、顔は太陽を仰ぐように上を見上げ、ひざまづいた状態で地面の下に根っこを生やしていた。バッファローと僕がいた所からは、この人間の木が何千と生えていて、それぞれ隣の木と変わらないぐらい大きくて、皆同じポーズをしているのが見えた。手に置かれた球状のものは、何か太陽へ捧げる供物のようだった。その球状のものは両掌と繋がっていて、木できた体の一部になっていた。体には水がゆっくりと滴り落ちていて、両掌の皮の肌は太陽が射す光でキラキラしていた。バッファローはまるで僕がじっくりと観察できるよう気遣ってくれているかのよう、ゆっくりと森の中を歩き、一本一本の木の周りを回った。辺りを見回しながら、僕の目は木々の跪いて折り込まれた足、胴体、伸びた腕から球体を掲げる手へ、そして空を見上げる顔をなぞっていた。

次の日の朝目が覚めて、コーディーに夢の中で起こったことをメールして、自分でもこの夢について考えた。最初のバッファローの攻撃は、精神性を呼び覚ますのに必要不可欠な、自分の内側にある障害を打ち壊すということの象徴かもしれない。威嚇しながら僕を押し倒し、僕の心と体を圧倒した後に、バッファローは人間が生まれるずっと前に存在していたものを僕に見せてくれた。そしてあの人間の形をした木々は、母なるものと繋っているということ、そしてその手から捧げられる球状のものに象徴されるように、そこから得たエナジーが太陽と空という父なる（部族では太陽と空は男性性を、月と地球は女性性を象徴する）存在へと昇っていくという僕らの本質を表しているのだ。

僕の母方のおばあちゃんはラコタ族の出身で、サウスダコタ側のスタンディングロック・リザベーションで育った。夢の中のバッファローはここからきているのだと思う。こうした古来より存在しているものは、精神界に属していて、物質世界のバランスを保つためにこちらにいる。僕たちの文化はすべての根源であるエナジーを表現するものであって、人間はこのエナジーを利用して世界の均衡を保つものだ。僕は、人間が自分たちの住む場所や体は精神界からきていることを理解しない限り、この役割を果たすことはできないだろうと思っている。僕たちはもっと謙虚に自身を省みて、自然を蔑ろにしてつくり出した欠陥だらけのシステムへの執着を無くすまでは、膿んだ傷口を覆い隠しているだけで、何も変わっていかない。人間がこの惑星（ホシ）において自分たちの最も根本的な役割を理解するまでは、必要な癒えは起こらない。伝統的なノムラカの文化は僕たちがこうした知恵の在りかへと続くドアを開けるための特別な鍵だ。僕たちにとって、その伝統に従って生きることが、ノムラカが存在するこの場所を育み、この場所から受けた恵に対してのお返しをする方法なのだ。この場所の育みは、自動的だったり、魔法などで起こるのではなく、絶え間ない努力が必要だ。そしてその仕事は、自分の内側にある自分の意識の広がりや成長を妨げるものを壊して、再生するというプロセスからはじまる。子供の頃を振り返ると、自分を守るための殻をつくってしまう前までは、穏やかな、月明かりのような創造力が自分の中に満ち溢れていたことを思い出す。そして、それが今の僕のベースになっていることは間違いない。僕の先祖たちは僕のことを見守ってくれていて、この創造力にアクセスするときに彼らの存在を最も感じる。あるときは彼らは夢の中に出てきて、またあるときは起きているときにも、彼らの存在を知らせてくれる。鏡の中を覗き込んでそこに映る自分の顔と、僕の両親や祖父母、そして古い白黒の写真の中で胸を張って立つ曽祖父母たちに似ている部分をじっくりと見る。そして彼らのように強く生きようと思う。彼らはあの時代を生き抜き、今僕にこうしてこの体と心を授けてくれた。ときには、この贈り物にただ感謝するだけで十分なこともある。

ʻOlbulīn, ʻanī, mēm ʻolbuturo…
頬の上に、あぁ水が溢れ出す…
ʻēkunā ―― 火または熱源のそばで温まること。

howling into the darkness

my tears of pain and laughter

宇宙からつくられた体を
スターブランケットにくるんで
僕の先祖はやってくる。
眩しい肌と声だけで
みな顔はない。

こうして
閉じた目でも
形がみえる
この偉大な力と共に
彼らはやってくる。

暗闇にむかって吠える僕の
痛みの涙と笑い涙が
ひとつの流れになる
地球と月が離れてゆくほどに
遠くに響きながら。

become a single stream

softening as distance grows

between earth and moon.

the ancestors come

wrapped in star blankets

their bodies made of the universe.

they have no faces

only voices and bright skin.

this is how they come

with the power to appear

in shapes visible

even with eyes closed.

like watching
a loved one's eyelashes
as they sleep.

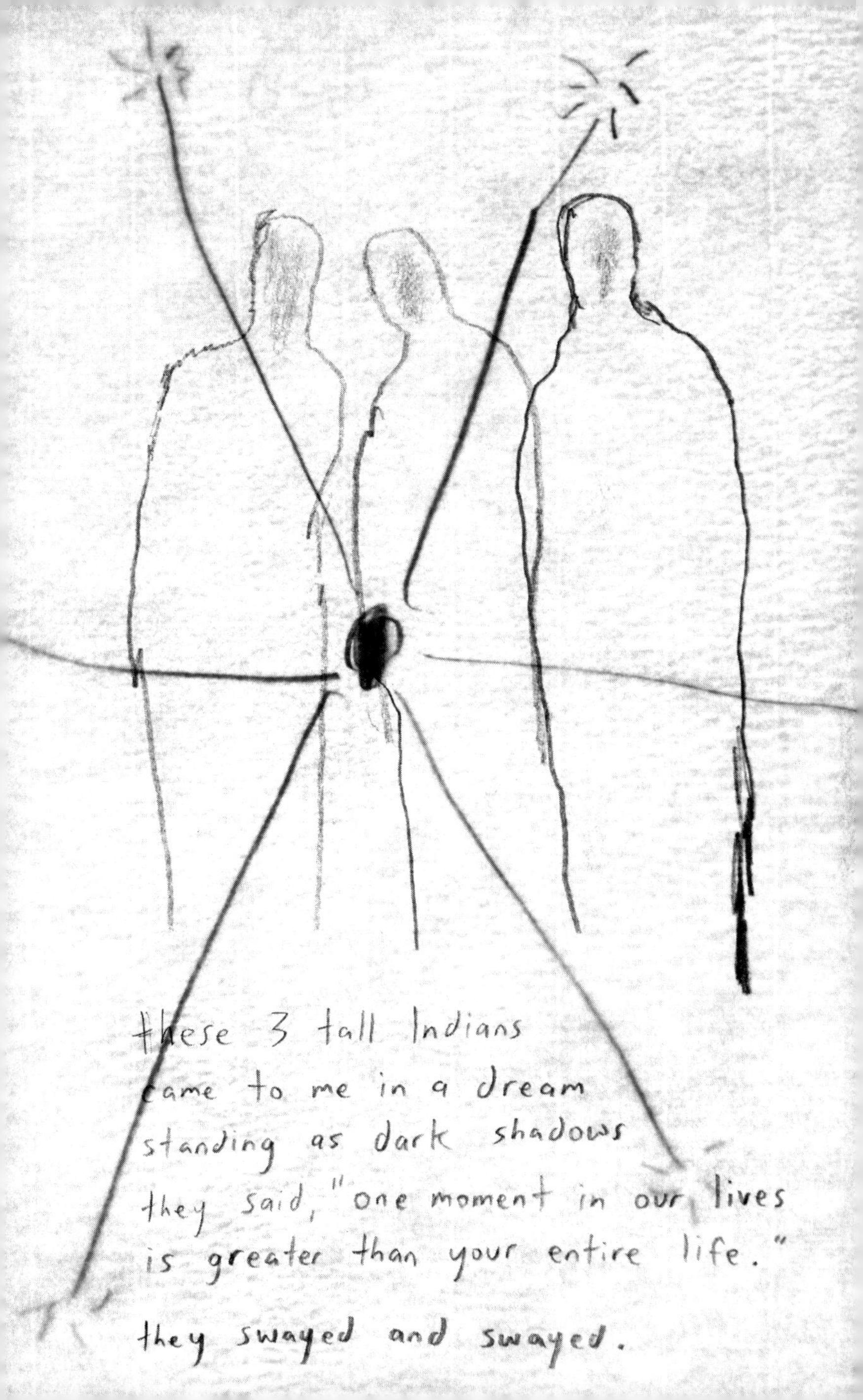
these 3 tall Indians
came to me in a dream
standing as dark shadows
they said, "one moment in our lives
is greater than your entire life."
they swayed and swayed.

「ミミズの賛歌」

僕はアメリカを愛していない。
この国が建っているその下の盗まれた大地を愛している。

僕はアメリカを信じていない。
この国ができるずっと前からある自然を信じている。

この自然によって
地球が太陽の周りを回り続け
月が地球の周りを回り続ける。
それは木の枝から僕の骨をつくり
山と川から僕の頬と涙をつくったのと
同じエナジーで成り立っている。

僕は、芯から腐っているシステムの中で
真実は見つからないと思っている。
答えは潮の満ち引きの間や

満月と新月の間でみつかる。

自然は僕たちに嘘をついたりしない。
僕たちを奴隷にしたりしない。
僕たちを洗脳したりもしない。
ただ僕らのこころを洗ってくれる。

僕たちの今の状態を目の当たりにして
僕はミミズのように
そっと土にもぐっていき
輝く花のように
地上に戻ってきたい。

まあ僕たちはみんなそこに向かっているけれど。
そこへ行きたいか
その行き方がわかるか
また生きてる間か
死んだ後かにかかわらず。

Seeing our condition now
I want to dig down into the soil
humbly as a worm
and come back up
radiant as a flower.
We're all headed there though
regardless of
if we find the will or means
while living
or not.

earthworm anthem

I don't love America.
I love the stolen land it is on.
I don't believe in America.
I believe in the system that existed here
before it.
This is the system that keeps
the earth revolving around the sun
and the moon around the earth.
It is made of the energy
that formed my bones
from branches
and my cheeks and tears
from mountains and rivers.
I don't think truth can be found
in any system with a rotten core.
The answers can be found
between the high and low tide
and the full and new moon.
Nature never lies to us.
It never enslaves us.
It never brainwashes us
yet it cleans our minds.

毎回パァスケンティに行く度に、僕は西の山にある、この辺りでは一番古くて大きなブラックオークの木を訪れる。この木は樹齢500年以上だと聞いた。ということは、この木は開拓者たちによる侵略のずっと前から僕らの先祖たちにその恵を与えていたということだ。パァスケンティの土地が一望できるこの山に立つこの木は、部族の人々の数えきれない誕生と死を見てきたし、彼らがこの土地から引き離されたことも知っている。そして今は僕たちが戻ってきているのを感じているのかもしれない。僕はその巨大な幹に歩み寄り、ゴワゴワとした樹皮に両手を添えた。そして部族の人々が、この木のドングリを地面から集めている様子を想像してみた。彼らはそのドングリから粉をつくり、命をつなぐためにそれを食べた。そうしてこの木の一部が彼らの体に入っていき、DNAに組み込まれ、それがこの場所の遺伝子の記憶として僕に伝わってきている。だから僕とこの木はお互いへの穏やかな愛情を持って反応しているのだと思う。僕はゆっくりと反時計回りにこの木の周りを歩き、ノムラカ語で挨拶し、感謝の意を伝えた。遠い昔、この木もたったひとつの小さなドングリだった。僕のことを見下ろす、不思議と自分のことを幼くもまた古くも感じさせるこの木を見上げた。僕たちのそれぞれの根が地球の中心で繋がっている気がした。ここはいいスタート地点だ。

僕は
小枝とプラスチックで
できるだけ頑丈な
巣をつくっている
鳥だ。

与えられたものを守って。
望みは
たとえどんなに小さくても
無限の望み。

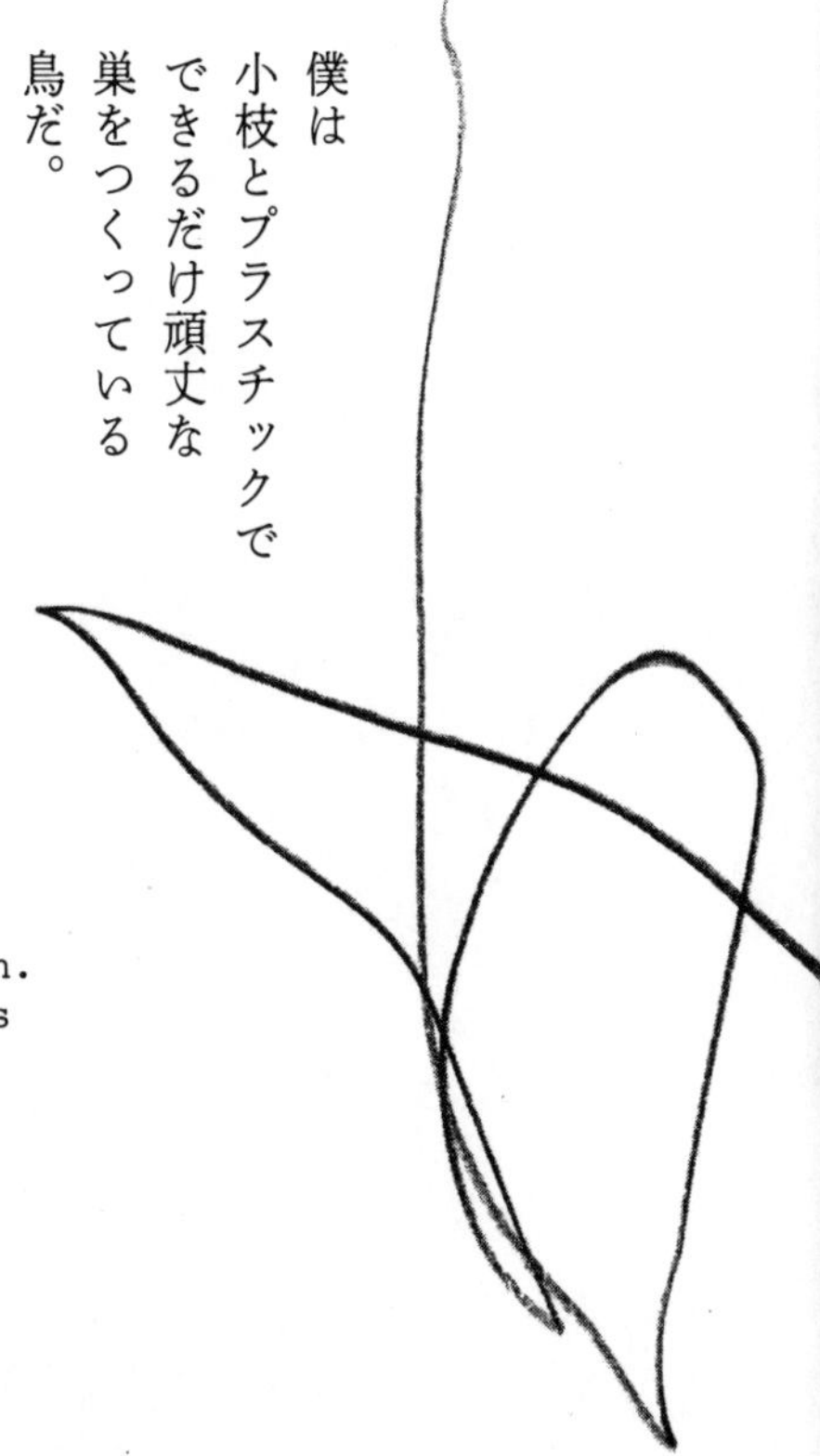

I am a bird
making my nest
strong as possible
out of twigs and plastic.
protect what you are given.
even the smallest of hopes
is still hope
infinite.

BYE

リーバイ・パタ
（Levi Pata）

1985年ホリスター（アメリカ・カリフォルニア）生まれ。アーティスト。2009年から2011年、東京で活動後サンフランシスコへ戻り、2016年より日本在住。現在東京を拠点に、個展などで作品を発表する。

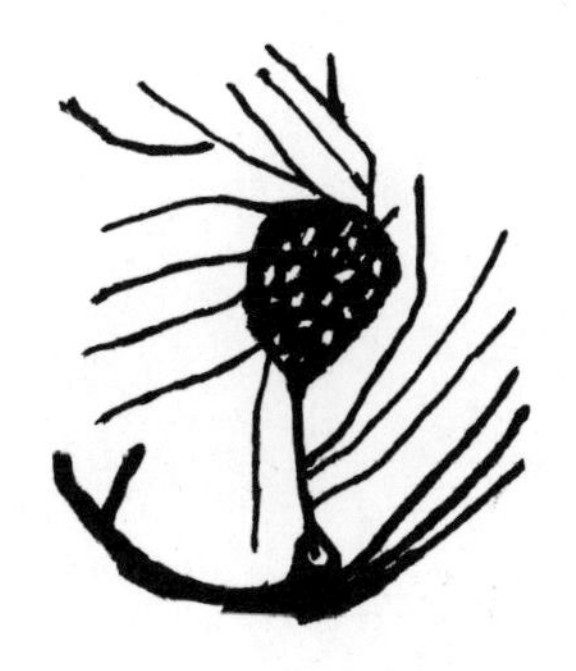

はじまりの木　現代のカリフォルニア・インディアンの話

発行日　二〇二一年八月一五日　第一刷印刷
二〇二一年八月三一日　第一刷発行

著者　リーバイ・パタ
写真　黄瀬麻以
装幀　樋口裕馬
編集　中村水絵（HeHe）
翻訳　志波真由美

発行者　清水一人
発行所　青土社
〒101・0051　東京都千代田区神田神保町1・29市瀬ビル
電話　03・3291・9831（編集）　03・3294・7829（営業）
振替　00190・7・192955

印刷・製本　シナノ

ISBN 978-4-7917-7398-5 Printed in Japan